Marte Jacobs

Tim Krabbé

Marte Jacobs

2007 Prometheus Amsterdam

Eerste druk oktober 2007
Tweede druk oktober 2007
Derde druk december 2007

© 2007 Tim Krabbé
Omslagontwerp Erik Prinsen
Foto auteur Bob Bronshoff
www.uitgeverijprometheus.nl
ISBN 978 90 446 1122 9

1 *Twee woorden*

Emile Binenbaum, de dichter, las weinig proza. En al helemaal geen Nederlands proza. Toch was er één Nederlandse romanschrijver van wie hij alles las: Willem Reiff. En dat terwijl hij Reiff geen goede schrijver vond. Integendeel: hij vond hem een slechte schrijver. Een zwetser, een bladvuller, een alsmaardoorschrijver. En er was nooit iets te *zien* bij Reiff; hij ging overal vóór staan – je zag hèm, vierhonderd, zeshonderd bladzijden lang, boek na boek na boek.

Het ging om de waarde van het werk, niet om roem of erkenning, en toch stak het Emile dat zijn gedichten, waarin wel iets te zien was, en die nog rijmden ook, niet van belang werden geacht (behalve

Pasgeboren Girafje natuurlijk dat in alle bloemlezingen stond) terwijl ieder nieuw boek van Reiff
over zeven kolom besproken werd door de hoofd-
recensent, in vestingmuren bij de boekhandel lag,
prijzen won.

Maar zouden die boeken nou ook *gelezen* worden,
vroeg Emile zich wel eens af. Genoeg lezers die hun
verveeldheid als kenmerk van het ware zagen, maar
als *hij* iemand met een boek van Reiff zag, in de
trein of op een terrasje, dan was die lezer altijd ergens in het begin. Eén keer zag hij een meisje de
nieuwe Reiff dichtslaan, op haar tafeltje leggen, en
er een duwtje tegen geven dat boekdelen sprak: van
dat exemplaar zou geen bladzijde het licht nog zien.
Wat niet verhinderde dat ze voor de volgende Reiff
meteen weer naar de boekhandel zou rennen.

Emile had eens berekend dat er van Reiff onge-
veer tienduizend keer zoveel woorden waren afge-
drukt als van hem. Maar als je daarvan het percenta-
ge gelezen woorden nam, dan zou Reiff dicht bij nul
zitten, en hij dicht bij honderd.

Maar niets zou er ooit nog iets aan kunnen veranderen: Reiff was diep, hij oppervlakkig. Hij schreef
leuke gedichten, hij was makkelijk, hij ontwikkelde
zich niet. 'Weet men wel hoe moeilijk het is om
makkelijk te *lijken*?' zei Emile vaak tegen zijn vaste
denkbeeldige interviewer. 'En waarom moet ik me
ontwikkelen? Ik ben waar ik wil zijn. Ja, al sinds
mijn achttiende. Dat is pas vernieuwend; ik durf stil
te staan. Wie schrijft dat ik mij ontwikkel, die doe ik
een proces aan wegens smaad.'

Wat wel voor Reiff pleitte, was dat hij er niet uitzag als een Schrijver. Hij was groot en blond, met een bril met hoornen montuur en vaak een blazerachtig jasje en een kantoordas. Dat hij de zestig gepasseerd was zag je hem niet aan. Hij had de open blik van een polderjongen, maar in tv-interviews sprak hij langzaam, haast lijzig, met een vergoelijkende glimlach om de domheid die hem omringde, als een psychiater met zijn laatste patiënt van de dag.

Een hinniklachje was daarmee in contrast.

Hij was al meer dan dertig jaar met dezelfde, nog steeds aantrekkelijke vrouw, en ze hadden twee dochters – een advocate die speelfilms was gaan produceren en een fotografe van wie zelf wel eens een foto in de krant stond.

Succes hebben, dáár was Reiff goed in.

Dat Emile toch alles van Reiff las, had twee redenen.

De eerste was dat het een vriend van hem was, al vijftig jaar. Al was 'vriend' niet helemaal het juiste woord; hun laatste echte gesprek hadden ze gehad toen ze vijfentwintig waren. Maar op de vraag: 'In welke verhouding sta jij nou tot Willem Reiff?' zou hij, na even te hebben nagedacht, toch niets anders kunnen antwoorden dan: 'Ja, dat is eigenlijk wel een vriend van me.'

Maar als hij hem zag, wat soms meer dan een jaar niet gebeurde, voelde Emile ijzigheid. Ze hadden meer om niet over te praten dan om wel over te praten. Hij probeerde die ontmoetingen te vermijden. Als hij een uitnodiging kreeg voor een boekpresentatie of een borrel lukte het hem steevast om niet te kunnen, maar soms kwamen ze elkaar tegen op de kunstenaarssociëteit waarvan ze allebei lid waren, of zomaar op straat. In de gesprekjes die dan volgden zocht Emile vanaf het begin naar een mogelijkheid om er een eind aan te maken – maar het was altijd Reiff die dat ten slotte deed. Emile wist nooit wat hij aanmoest met Reiffs geveinsde belangstelling voor zijn werk, anders dan door erover te vertellen – nieuwe bundel in voorbereiding, deelname aan festival, cyclus in tijdschrift. Hij was blij met die successen maar hij hoefde ze maar aan Reiff te vertellen of ze maakten hem droevig.

Hij vroeg Reiff nooit naar *zijn* werk.

Ze hadden zes jaar bij elkaar in de klas gezeten, op het Amstel Lyceum in Amsterdam. Een curiositeitje van de Nederlandse literatuur, dat nooit meer bij Reiff vermeld werd, en vaak wel bij hèm.

Anders dan Emile schreef Reiff toen nog niet. Hij zei wel af en toe dat hij beroemd ging worden en als je dan vroeg hoe, dan zei hij: 'Mijn talent beraadt zich nog op de vorm waarin het zal verschijnen.'

Als Emile aan zijn schooltijd met Reiff dacht, dan waren er twee beelden die altijd bij hem opkwamen: het roeibootje en de liftreis naar Spanje.

Het roeibootje hadden ze op een middag met z'n tweeën gehuurd, en ze hadden er een uur mee op een kleine plas heen en weer geroeid.

De liftreis naar Spanje, met nog twee andere vrienden, was in een paasvakantie geweest, toen ze zestien of zeventien waren. Al was het Emile later een raadsel wat dat plan kon hebben behelsd. Heen en weer naar Spanje, in zo'n korte vakantie? Liften met z'n vieren? En aan het eind van de eerste dag waren ze in Baarn gestrand, wat helemaal niet in de richting van Spanje was. Ze hadden hun tentjes in een koud en nattig weiland bij een boer mogen opzetten en om iets anders te doen dan in die tentjes te liggen rillen, waren ze 's avonds het dorp ingegaan, op zoek naar meisjes. Een café of een dancing was nergens geweest, en ze hadden wat in de verlaten hoofdstraat heen en weer gelopen, tot ze een meisje zagen. Emile, die vanwege zijn verhalen in de schoolkrant en zijn plan om schrijver te worden als de romanticus van het gezelschap werd gezien, had haar aangesproken en het meisje, dat Gudy heette, was meegegaan naar een snackbar waar hij, degene bij wie ze nu hoorde, haar consumpties had betaald: koffie en een knakworstje.

De volgende dag hadden ze een paar uur vergeefs staan liften, tot Reiff ineens was overgestoken en dáár zijn duim had opgestoken.

Dat was Emile bijgebleven als het meest talentvolle wat hij hem ooit had zien doen, vooral omdat de eerste auto was gestopt. Die had plaats voor vier, en ze waren allemaal ingestapt. Een uur later waren ze thuis.

Emile nam aan dat juist die twee beelden, te midden van zo veel belangrijker herinneringen, altijd bij hem opkwamen als hij aan Reiff dacht omdat ze tekenend voor hem waren. Dat volstrekt vergetelijke roeimiddagje op die afgesloten kleine plas, dat was zijn beperking als schrijver. Het oversteken in Baarn was zijn talent: hij had een neus voor de kant waar het succes vandaan kwam.

Een andere herinnering die vaak terugkwam, was dat hij Reiff eens had zien neuken.

Dat was na hun schooltijd, toen ze drie- of vierentwintig waren, op een feest waar veel hasj was gebruikt en misschien ook sterkere dingen. Midden in de nacht was Emile wakker geworden, liggend in een fauteuil in een kamer waar verder niemand was. Hij was opgestaan en op zoek gegaan naar anderen, en had vele deuren geopend naar kamers die leeg bleken te zijn, tot hij een deur vond waarachter muziek en stemmen klonken en waar hij, toen hij naar binnen ging, in een waas van rook mensen op de grond zag zitten. Pas na een tijd was tot hem doorgedrongen dat ze ergens omheen zaten, en had hij een matras gezien waarop een meisje en een jongen lagen – het meisje op haar rug, de jongen op haar. Er lagen dekens over ze heen, tot halverwege hun naakte bovenlichamen. De jongen was Willem Reiff.

Reiff en het meisje bewogen nauwelijks, maar uit de houding en de blikken van de anderen sprak ontzag, alsof er iets heiligs gaande was, en Emile begreep dat Reiff ìn dat meisje was.

Er werd daar geneukt. Het had niets nadrukkelijks, het zag eruit alsof ze toevallig bezig waren geweest toen er iemand binnenkwam, en maar waren doorgegaan, ook toen er steeds meer mensen binnenkwamen, die er dan ook maar bij waren gaan zitten. Reiff had zijn bril niet op en keek met een wazige blik, op de rand van herkennen, naar Emile. Emile ging ook zitten, en keek terug.

Zo keken ze elkaar aan tot Reiff een paar snelle bewegingen maakte en, nog steeds met halfopen ogen Emile aankijkend, klaarkwam – of in elk geval: er ging een siddering door hem heen en hij sloot zijn ogen. Daarna lag hij stil, tot hij ineens opstond en de kamer uitliep.

Aan niemand was te merken dat er iets ongewoons was gebeurd.

Ook daar hadden ze het nooit over gehad.

Hun laatste ontmoeting was heel vreemd geweest, vooral bij nader inzien.

Een andere oud-klasgenoot en mede-Spanjeganger, Henk Duijndam, had Reiff en hem uitgenodigd voor een etentje – Henks vrouw had bedacht dat ze elkaar vijftig jaar kenden. De vierde lifter, Leo Opperman, was al jaren dood, zoals Emile pas door Henks telefoontje ontdekte. Hij zou die naam niet meer uit zichzelf geweten hebben. Ook Henk had hij vrijwel nooit meer gezien, maar die stond net als Reiff en hijzelf af en toe in de krant; hij was iets succesvols in de confectiewereld geweest, en had onlangs voor een krankzinnig bedrag zijn bedrijf verkocht.

Emile had al ja gezegd voor hij goed en wel begreep dat Reiff ook zou komen en toen hij dat besefte kon hij niet meer terug. Wist Duijndam veel dat hij Reiff liever ontliep. Nu zou hij urenlang in Reiffs nabijheid zijn; langer dan de laatste vijfendertig jaar bij elkaar.

Henk woonde aan een plas dicht bij Amsterdam, en in de bus daarheen bedacht Emile dat het van één woord vaststond dat het die avond zou worden gezegd, *knakworst*, en van één woord dat het niet zou worden gezegd, *Marte*.

Toen hij van de halte naar Henks huis was gelopen, trof hij de twee anderen, samen met Henks vrouw, aan bij een botensteiger naast het huis. Ze zouden eerst de plas nog opgaan, zo bleek; een bootje lag met gehesen zeilen klaar. Henks vrouw ging niet mee – dit was hùn ding, zij ging zich met het eten bemoeien.

Ze kruisten wat rond, Henk aan het roer, Emile als fokkenmaat, Reiff tegenover hem en dan weer naast hem, achteroverleunend, de zon blikkerend in zijn brillenglazen, een sigaret tussen zijn vingers. Ze voeren langs een eilandje dat Henk wilde kopen en waar hij een klein huisje wilde neerzetten.

Eilandjes Kopen, goede titel voor een gedicht, dacht Emile.

Midden op de plas gooide Henk het anker uit, en hij haalde een fles champagne en een paar glazen tevoorschijn. Ze dronken op het Amstel Lyceum, op de vriendschap, op Baarn. Er waren vier glazen; het vierde was voor Leo. Ook dat werd gevuld, en om beurten goten ze wat van Leo's champagne uit in het water. Toen het glas leeg was gooide Reiff het erachteraan. Het bleef een tijdje dobberen en was toen weg.

Emile verbeet een snik – om iemand die hij zich nauwelijks voor de geest kon halen. Maar toen hij dat zei, bleek Henk een foto te hebben klaargelegd waar Leo op stond.

Henks huis had het breedste raam dat Emile ooit had gezien, met het schitterendste uitzicht over een plas, bij de mooiste ondergaande zon. Hij keek bij de boekenkast en zag daar, op een speciaal plankje, naast elkaar zijn bundels en Reiffs romans.

De Dikken en de Dunnen, dacht hij.

Henks vrouw kwam bij hem staan en zei dat ze zo van zijn werk hield. 'Dicht je nog steeds?' vroeg ze.

Bij het eten trof het Emile dat Henk hem en Reiff als gelijken, en hen allebei als zijn meerderen tegemoet trad, zij het met de geringschattende nederigheid van de domme zakenman tegenover de kunstenaar. Hij had alleen maar geld verdiend, zij voegden iets toe aan de wereld. Jij toch ook, sneue jasjes, dacht Emile. Maar misschien had hij zelf wel een Duijndam-jasje aan. Er werd gedronken en gelachen zoals alleen schoolvrienden vijftig jaar later met elkaar kunnen lachen, en Henk werd dronken genoeg om Reiff door te zagen over het nieuwe boek waar die aan bezig was, maar Reiff was niet dronken genoeg om daar iets over te zeggen.

'De titel dan,' zei Henk.

'Het is nog niet voltooid. Eén andere letter, en er

kan een andere titel nodig zijn.'

Gelul, dacht Emile. Godallejezus, *voltooid*. Mijn gedichten zijn af, als ze af zijn.

'En jij Emile,' zei Henks vrouw.

'Ik werk aan een gedicht.'

'Wat is de titel?' zei Henk. Iedereen lachte.

'Eilandjes Kopen,' zei Emile.

'Hola!' riep Henk. 'Ik heb je geïnspi*reerd*. Ik wil royalty's!'

'Pasgeboren Girafje,' zei Henks vrouw. 'Dat vind ik zó mooi.'

'Sorry dat ik het gewoon vraag,' zei Henk. 'Maar ik vraag het maar gewoon. Het dichterschap, kan je daar nou van leven?'

'Henk!' zei zijn vrouw. 'Poëzie is geen beroep, het is een roeping.'

'Het is geen beroep, maar ook geen roeping,' zei Emile, 'het is iets waar je je bij neerlegt.' Dat zei hij ook altijd tegen zijn denkbeeldige interviewer, en vaak tegen schoolkinderen, bij lezingen op school.

'Maar kan je er nou van léven?' vroeg Henk.

Ook op die vraag had Emile een vast antwoord (wie wil er nou leven), maar ineens schoot hem iets anders te binnen.

'Geef me honderddertig miljoen,' zei hij, 'en ik kan er *niet* van leven.' Hij had zomaar een hoog getal willen noemen, maar hij had het nog niet gezegd of hij wist weer dat honderddertig miljoen het bedrag was waarvoor Henk zijn bedrijf had verkocht.

Hij kon wel door de grond gaan.

Het was even stil, toen hinnikte Reiff, en begon

Henk gierend te lachen; hij had besloten dat dit geen sneer, maar een goeie grap was. 'Geef hem honderddertig miljoen, en hij kan er niet van leven,' riep hij nog een paar keer, en daar werd op getoost, en ook weer op het Amstel, op afzonderlijke leraren, op het hele leven, op Gudy.

'Ze heette Gudy, niet Rudy,' riep Henk. 'Want Rudy is een jongensnaam. En ze wilde een knakworstje. Weet je nog? Koffie en een knakworstje!'

Emile kon zich met geen mogelijkheid herinneren hoe Gudy eruit had gezien, maar wel hoe hij zich in die snackbar gegeneerd had toen Henk maar door was gegaan haar Rudy te noemen, wat Gudy, gelovend dat het een oprechte vergissing was, iedere keer had verbeterd door te zeggen dat Rudy een jongensnaam was en dat zij Gudy heette, met een *gé*.

Toen Emile nog maar eens een toost op Leo Opperman uitbracht, denkend aan dat champagneglas dat nu daarbuiten moederziel alleen op de donkere bodem van de plas lag, liet Henk merken dat Leo nu ook weer niet zó veel eerbetoon verdiende – van hen vieren was hij de enige die het niet had gemaakt, die niet de baas was geweest over zijn eigen leven en wiens lot, een slapstickachtig maar dodelijk auto-ongeluk in België op zijn negenenveertigste, eigenlijk wel passend was geweest.

'Je had een foto waar hij op staat,' zei Emile. 'Die zou je nog laten zien.'

Een ogenblik later was het alsof de ijzigheid, die hij met Reiff altijd voelde, hem geheel omvatte. Vier idioot jonge mannen stonden bijeen aan de rand van een dansvloer: hijzelf, Henk Duijndam, Willem Reiff en Leo Opperman. Aan zuilen hingen slingers, tegen het plafond zweefden ballonnen; op een podium aan een zijkant speelde een witgehemd orkestje, met strikjes en bolhoedjes.

Het was de kantine van het Amstel Lyceum, op de avond van het feest van het honderdjarig bestaan.

Dat die avond nog bestond! Dat hij daar ooit nog iets van terug had zullen zien! En dan samen met Reiff!

En nu: me omdraaien, dacht hij. Hem midden in zijn gezicht kijken en 'Marte' zeggen. Zien hoe hij dan kijkt, voor hij een houding heeft kunnen bepalen.

Maar hij deed het niet.

Hij keek naar de foto, naar Leo Opperman die woorden als 'België', 'auto-ongeluk' en 'negenenveertig' al kende, naar zichzelf, naar Reiff – maar vooral keek hij naar de onscherpe schimmen op de achtergrond; dansende paren, mensen die aan tafeltjes zaten, mensen met een soort witte bloem op hun jasje of jurk, mensen met glazen in de hand die stonden te praten.

Reiff zei niets.

'Zijn daar foto's van?' zei Emile. 'Dat wist ik helemaal niet.'

'Fo*to's* weet ik niet,' zei Henk. 'Ik heb deze. Er zal wel iemand foto's hebben lopen maken die je dan later kon bestellen. Ik mail je wel een scannetje.'

Maar het werkelijk vreemde van die avond ontdekte Emile pas maanden later, toen hij een aankondiging zag van Reiffs nieuwe roman, Een Meisje uit mijn Jeugd. Dat moest het boek zijn waaraan hij toen bezig was geweest. Maar hij had geen krimp gegeven.

Zelfs niet toen hij de foto zag.

2 De tovervoorhoede

De tweede reden dat Emile alles van Willem Reiff las, was dat die eens een meisje van hem had afgepakt, Marte Jacobs, dat later zelfmoord had gepleegd, en dat hij geen regel wilde missen die over haar zou kunnen gaan. Maar boek na boek kwam ze er niet in voor.

Marte was zeven jaar jonger dan Emile, wat een grote rol speelde, want toen hij haar voor het eerst zag was hij zestien en zij negen.

Dat was in de zomer van zijn overgang naar de vijfde klas van het gymnasium, op de verjaardag van een vriend van zijn ouders; een advocaat met een huisje aan de rand van de duinen bij Schoorl. Het feestje begon 's middags en toen Emile en zijn ouders arriveerden, stonden er al heel wat mensen in de tuin taart te eten en wijn te drinken.

Emile was tegen zijn zin meegegaan, omdat hij niet door al die maatschappelijke succesnummers uit de kennissenkring van zijn ouders gezien wilde worden als iets dat nog iets moest worden, in plaats van als iets dat al iets was. Hij kon dan wel hoofd-redacteur van de schoolkrant zijn, van de leraar Nederlands te horen hebben gekregen dat hij een toekomst had als schrijver, een verhaal in een landelijk jeugdblad hebben gepubliceerd en daarvoor een honorarium hebben ontvangen – maar er zou hem gevraagd worden wat hij dacht later te gaan doen. En dan kon hij niet onbeleefd zijn en zeggen: ik doe nu al iets. Ik ben schrijver.

Dus toen hij aan de rand van de tuin een paar kinderen met een bal zag trappen ging hij, al voetbalde hij nooit, meedoen. Maar de bal kwam in de bloemperken van de advocaat terecht en bedreigde drinkglazen, en er werd ze verzocht op het weggetje langs het huis te gaan spelen. Daar riep iemand dat er vlakbij een echt voetbalveld was, en met z'n allen liepen ze daarheen, stuiterend, gooiend en schietend met de bal, die in de sloot kwam, in tuintjes van andere huisjes, in de brandnetels langs een donker boslaantje.

Wat ga je later doen? dacht hij. Later ga ik voetballen. Over één minuut al!

Het voetbalveld bleek helemaal geen 'echt voetbalveld' te zijn, maar een grote duinpan, deels met gras begroeid maar ook met mulle zandplekken, kuilen, welvingen, struiken, en aan één kant een glooiing, bijna een heuveltje. Er werden teams gemaakt, hemdjes en handdoeken op de grond gegooid om doelen te markeren, en een wedstrijd begon. Af en toe waren er toeschouwers; wandelaars wier pad langs hun duinpan voerde en die even bleven staan om te kijken.

In het begin sprongen de ballen meteen van Emiles voet, en was hij na iedere ren zo buiten adem dat hij voorovergebogen, steunend met zijn handen op zijn knieën, moest uithijgen. Maar hij kwam er steeds beter in, rende met de bal het heuveltje op dat gewoon bij het veld hoorde, speelde over, kreeg de bal toegespeeld en maakte het eerste doelpunt van zijn leven.

Hij stond er versteld van hoe goed hij was. En al brandde de zon, bonkte zijn hart en zweette hij over zijn hele lichaam, het was of hij steeds minder moe werd. Hij maakte het ene doelpunt na het andere. En als hij dat gedaan had, of een medespeler had een doelpunt gemaakt, dan lachten ze naar elkaar, en staken een triomfantelijke vuist naar elkaar op.

Hij was de oudste en de sterkste, maar sommige van die kinderen waren ook goed, wisten de bal bij zich te houden, een tegenstander te passeren, hadden een schot. Eén kind viel hem speciaal op, een meisje met halflang blond haar, een zwart gymnastiekbroekje en lange benen als scharnierende luciferstokjes. Ze was snel en handig, maar ook nog zo licht dat ze een paar keer met haar venijnige schijnbewegingen haar eigen benen onder zich vandaan schopte, en viel. Dan stond ze op, sloeg met een geërgerd gebaar het zand van haar broekje, en speelde verder.

Net een pasgeboren girafje, dacht Emile, en zo ging hij haar in gedachten noemen: het pasgeboren girafje heeft de bal; pasgeboren girafje, goed ben jij. Pasgeboren girafje, speel nou naar mij over.

Ze was links, viel hem op. En ze had sproetjes.

Niemand had gezegd wie waar stond opgesteld, het was zelfs moeilijk te onthouden wie bij wie hoorde, maar dat meisje en hij hoorden bij elkaar. Ze speelden elkaar de bal toe, ze wisten elkaar altijd te vinden. Ook zij maakte doelpunten, en dan keek ze naar hem, en lachte hij goedkeurend naar haar. En andersom. Ze waren een tovervoorhoede.

Bij de stand 22-9 voor hem en dat meisje was het rust: de vrouw van de advocaat verscheen op haar fiets bij het veld, met flessen water en een doos smeltende ijsjes. Iedereen rende naar haar toe, maar Emile liet zich neervallen op een bankje aan de rand van de duinpan, in de schaduw van de dennen. Even later plofte het meisje naast hem neer, met een fles water en twee ijsjes, één voor hem.

Ze zette de fles aan haar mond en nam een lange teug die ze ineens afbrak. 'O, sorry,' riep ze, 'ik neem zelf eerst.' Ze veegde de hals van de fles af en reikte hem die aan, demonstratief achterover zakkend.

In haar bovenste voortanden was een grappige verkleuring. Haar neus was wipneusachtig. Ze had grijsblauwe ogen.

Emile nam een slok, en daarna nog een die hij door zijn getuite lippen omhoog blies, zodat er een douche van fijne druppeltjes op hem neerdaalde, maar ook op het meisje.

'Sorry,' zei hij, 'het komt ook op jou.'

'Lekker juist.'

Hij deed het nog eens, en zij nam de fles over en deed het ook. Iedere keer als er zo'n heerlijk wolkje op ze neerdaalde, lachten ze.

'Goed ben jij,' zei hij.

'Jij ook.'

'Ik had bijna nog nooit gevoetbald.'

'Ik ook niet!'

Ze zwegen een tijdje, als om dit merkwaardige feit te overdenken.

'Weet je wat gek is?' zei Emile.

'Nee?'

'Jij pakt die fles in je rechterhand, maar je voetbalt links.'

'Links? Nee hoor, gewoon rechts.'

'Je schiet links. Je hebt al je doelpunten met je linkervoet gemaakt.'

'Ik ben gewoon rechts. Kijk maar.' Ze trok met haar rechterwijsvinger krullen in de lucht. 'Zie je wel? – ik schrijf rechts. Heb je gelezen wat ik schreef?'

'Nee?'

'Ik zal het nog een keer schrijven. Goed kijken.' Ze trok weer lijnen in de lucht, nu langzamer en nadrukkelijker.

'Heb je het nu gelezen?' vroeg ze.

'Het begon met een I,' zei Emile. 'En het eindigde met een punt. Daartussen weet ik het niet.'

'*Ik schrijf rechts*. Dat schreef ik.'

'Let op,' zei Emile. Hij maakte ook krullen in de lucht, rare overdreven krullen die geen letters kònden zijn. 'Wat schreef ik?'

Het meisje moest lachen. 'Niks,' zei ze, 'je deed maar wat.'

'Nee hoor. Ik doe het nog een keer. Kijk goed.' Hij ging nog wilder en gekker met zijn vinger door de lucht, en ze lag dubbel van het lachen.

'Wat schreef je dan,' zei ze.

'Ik schreef: *Je schrijft misschien rechts, maar je voetbalt links, in ieder geval voetbal je links op heden deze mooie zomerdag in Schoorl waarop er een heerlijk zeebriesje waait en je ijsje al bijna gesmolten is, ik zou het maar vlug opeten.*'

Ze nam een lik. 'Ik voetbal rechts,' zei ze.

'Links.'

'Rechts.'

'Je voetbalt links,' zei Emile. 'Heeft niemand dat ooit gezegd.'

'Nee, want ik voetbal nooit.'

'Daardoor heb je het nooit gemerkt.'

Ze stond op en pakte een dennenappel die ze rechtop tussen de dennennaalden zette. Ze liep een paar passen terug, deed met grote ogen en een wijsvinger tegen haar wang alsof ze diep nadacht, nam een aanloopje en schopte de dennenappel weg.

Met haar linkervoet.

Haar mond viel open. 'Het is echt zo!' zei ze. Ze

schopte nog een dennenappel weg, weer met haar linkervoet. 'Je hebt gelijk! Ik schrijf rechts, maar ik voetbal links. Idioot gewoon!'

Achter het bankje lag het vol met dennenappels. Ze sprong daar rond, alsmaar meer dennenappels wegschoppend, allemaal links. 'Ik ben rechts èn links!' zei ze. 'Ik schrijf rechts maar ik voetbal links. Dat ik dat niet wist!'

De ijsjes waren op, de vrouw van de advocaat was weer weggefietst, er werden nieuwe ploegen gemaakt en er werd verder gespeeld. Het meisje en hij hoorden weer bij elkaar en ze maakten weer doelpunten aan de lopende band. Maar er kwam violet in de hemel, de ploegen dunden uit, er moesten nieuwe doelpalen komen omdat spelers hun handdoeken en hemdjes meenamen, de maan werd zichtbaar. En ineens kwam ze naar hem toe, wijzend op een meisje aan de rand van de duinpan.

'Ik moet weg,' zei ze. Even stonden ze zwijgend tegenover elkaar. 'Nou, dag,' zei ze toen, en ze holde weg.

Emile keek haar na. Ze keek nog een keer om, en hij knikte in haar richting. Toen liepen zij en het andere meisje het boslaantje in. Aan haar houding kon hij zien dat ze een heel verhaal vertelde, waarschijnlijk over de ontdekking van het links voetballen.

Ze verdwenen in de donkerte.

Er werd verder gespeeld, maar nog voor hij zijn eerste bal kreeg, wist Emile dat hij nu slecht zou zijn. De ballen sprongen weer van zijn voet, en hij merkte hoe moe hij was. *Iedereen* was moe; de ploegen waren te klein geworden, het veld te donker en het duurde niet lang voor de laatst overgeblevenen besloten dat de wedstrijd was afgelopen.

Toen Emile terugkwam bij het huisje van de advocaat, was het meisje daar niet meer.

Achter in de auto van zijn ouders terug naar Amsterdam keek hij naar de maan, die groot en witgeel boven de provinciale weg hing. Het was vreemd om te bedenken dat het dezelfde maan was die boven het voetballen had gehangen.

3 Pasgeboren Girafje

Op een van de eerste dagen van Emiles eindexamenjaar stond hij met Willem Reiff en wat andere vrienden in de hal van het schoolgebouw te praten toen hij, te midden van een stroom lagereklassers die langs de trap van het grote open trappenhuis omlaag kwamen, het meisje van het voetballen zag.

Hij herkende haar meteen. Ze was wat groter geworden, haar haar was donkerder en zat nu in een paardenstaart – maar de manier waarop ze de trap afdaalde, haar tas zwaaiend aan haar hand, was net zo sierlijk als haar bewegingen bij het voetballen waren geweest.

Het pasgeboren girafje zit hier ook op school, dacht hij.

Zij zag hem ook, en er verscheen een wijs lachje op haar gezicht, alsof ze al had geweten dat deze ontmoeting zou plaatsvinden. Toen ze beneden was, ging hij naar haar toe.

Op haar neusvleugels had ze nog die sproetjes.

'Hé, dag,' zei hij. 'Zit jij hier ook op school.'

'Ja, in één C.' Hij herkende haar stem.

'Ik in zes bèta. Ik doe dit jaar eindexamen.'

Ze knikte. Ze zwegen even, allebei nog met het glimlachje van het herkennen.

'Goed voetbalde jij toen,' zei hij.

'Ja, links.'

Ze grinnikten.

'Hoe heet je eigenlijk? Dat weet ik helemaal niet.'

'Marte Jacobs.'

'Ik heet Emile. Emile Binenbaum.'

'Ja, dat wist ik. Je foto stond in de schoolkrant.'

Natuurlijk – hij was een bekende figuur op school; de foto's van de redactie stonden ieder jaar in het eerste nummer.

'Vorig jaar was ik hoofdredacteur,' zei hij. 'Maar in je eindexamenjaar mag dat niet, dan vinden ze dat je daar geen tijd voor hoort te hebben. Nu ben ik gewoon redacteur.'

Ze knikte. Toen werd ze meegetrokken, voortgeduwd door haar klasgenootjes.

'Ik moet naar biologie,' zei ze nog, en toen was ze weg.

Hij zag haar vaak, in de kantine, de fietsenkelder, het trappenhuis, op de stoep voor de slager waar de halve school in de middagpauze kroketten ging kopen, en dan keken ze even naar elkaar, met een knikje en een lachje.

Het practicumlokaal van natuur- en scheikunde was op de tweede verdieping aan het binnenplein, en één keer in de week, zolang het nog mooi weer was, zag hij haar als haar klas buitengym had. In een blauw gympakje, soms met een rood lint om, speelde ze dan slagbal en rende ze van het ene honk naar het volgende, of achter een weggeslagen bal aan als ze in het veld stond. Ze had mooie benen, dat had hij bij het voetballen al gevonden. Of eigenlijk: benen die mooi konden wòrden. Al vroeg hij zich af of het niet schandelijk was om bij zo'n jong kind naar haar benen te kijken. Ze was elf! Misschien gaf ze haar vader nog een handje als ze op straat liepen. Of zou ze al twaalf zijn? Weet je wat, dacht Emile, ìk bepaal wanneer ze jarig is. Ze heeft twee verjaardagen, een gewone en de verjaardag die ik haar geef. Op één januari wordt ze twaalf.

Waarschijnlijk woonde ze niet ver van hem vandaan, want soms zag hij haar ook als hij naar huis fietste. Zij fietste dan met een vriendin, altijd aan de binnenkant, haar knieën ver naar buiten, zoals een pasgeboren girafje zou fietsen. Als hij haar dan inhaalde stak hij even een hand naar haar op, zonder echt te kijken, alsof hij haar door die vriendin heen groette. En dan fietste hij verder, met haar blik in zijn rug.

En hij zag haar in de gangen bij het wisselen van de uren, soms onverwacht, soms verwacht. Er doemde een vaste keer op, woensdagochtend als hij van het lokaal Grieks op de eerste verdieping naar Duits op de tweede verdieping liep. Afhankelijk van hun treuzelen of juist haast maken, zag hij haar dan op de overloop van de tweede verdieping, of in de donkere gang van het lokaal Duits, en op den duur was het alsof er in haar knikje en lachje van die keer iets speciaals was, een opluchting dat ze er allebei ook nu weer waren.

Als hij haar op zo'n woensdagochtend niet zag, dan dacht hij tijdens Duits: zou ze ziek zijn? En toen hij zelf een keer ziek was, dacht hij op het tijdstip van hun begroeting: nu kijkt ze naar me uit.

De vergaderingen van de schoolkrantredactie waren in de lerarenkamer, en toen Emile daar een keer in de kasten naar een oud nummer zocht, zag hij een ordner waar Leerlingenlijst op stond. Hij sloeg hem open, bladerde naar 1c, en zag haar naam. Het was alsof hij in haar geheime dagboek keek. Achter haar naam in de kolom voor de adressen stonden doorstrepingen; haar adres was een keer veranderd, en weer terugveranderd naar het eerste adres.

Ze woonde inderdaad bij hem in de buurt, maar aan de andere kant van een drukke verkeersstraat – nu begreep hij dat hij haar wel bij het naar huis fietsen zag, maar nooit gewoon op straat.

Het kwam bij hem op om langs haar huis te fietsen, maar hij deed het niet. Het was een straat waar hij niets te zoeken had, en waar je ook niet zomaar door kwam. En waarom zou hij dat doen? Maar op een middag deed hij het. Al drie, vier huizen vóór haar huis durfde hij niet meer te kijken. En toen hij aan het eind van de straat was, wist hij zeker dat ze bij het raam had gestaan en hem gezien had.

Ik ben gek, dacht hij, toen hij weer aan zijn eigen kant van de grote straat was. Complètement totalement fou.

In het tekenlokaal zag hij, tussen de opgeprikte tekeningen op het grote prikbord, een tekening waar onder stond: *Marte Jacobs*, 1C. Het was een hondje – heel knap gedaan, vond hij.

Op de jaarlijkse schoolavond speelde Marte mee in het toneelstuk van de lagereklassers. Ze had maar een klein rolletje, maar het gebaar waarmee ze de hoofdrolspeelster, een nijlpaard uit de tweede, een bos bloemen gaf, maakte die bloemen, zo te zien een goedkoop bosje van de bloemenman op de hoek, een boeket.

Bij het feest daarna in de kantine danste Emile met Thérèse Wenneker uit 4B, het stuk van de school, en Marte met een ernstig jongetje met een strikje.

Er was een moment waarop ze allebei alleen aan de kant zaten en elkaars blik opvingen. Ze knikten en lachten even. Maar Emile ging niet naar haar toe. Haar rol in het toneelstuk was te klein geweest om haar ermee te kunnen complimenteren, en hij kon ook niet met haar gaan dansen. Een zesdeklasser met een eersteklasser – zoiets bestond niet. De hele school zou gonzen van de vraag wat dat te betekenen had.

Er was een soort ernstige spot in haar ogen, die hij niet eerder had gezien. Ze werd natuurlijk ook ouder, ze wist meer van zichzelf.

De lagereklassers moesten om tien uur naar huis, en toen Marte weg was, voelde Emile zich opgelucht – hun niet-dansen was opgeheven. Hij danste weer met Thérèse. Hij bracht haar naar huis, en zoende met haar in het portiek. Onderweg naar zijn eigen huis fietste hij door Martes straat.

Soms stelde hij zich voor dat hij Marte niet kende, en dat iemand anders haar aanwees, en zei: kijk eens naar dat meisje, wat vind je van haar? Of hij keek met Reiffs ogen naar haar. Dan dacht hij: zou ik dan ook zien dat ze iets bijzonders is? *Is* ze iets bijzonders? Hoe kom ik daar eigenlijk bij. Het is een kindje. Haar kruin komt tot aan mijn borst, ze slaapt nog met haar poppen, ze leeft in een andere wereld. Het enige bijzondere aan haar is dat we een keer samen gevoetbald hebben.

Maar zou het misschien toch zo kunnen zijn, dacht Emile, dat ik door Marte op te merken, iets in haar te zien, helemaal niet gek ben, maar dat iedere eindexamenklasser zo'n sterretje in de eerste heeft? Een klein meisje dat hij in het geheim leuk vindt, al was het maar om zichzelf wijs te maken dat hij verstand van vrouwen heeft en hun toverkracht jaren van tevoren aan kan zien komen? Zou Reiff ook zo'n sterretje hebben? Wie zou dat zijn? Misschien ook wel Marte. Ik zou het hem kunnen vragen. We zijn vrienden, met een vriend moet je over zoiets kunnen praten.

En op een dag nam hij Reiff in vertrouwen, en vertelde hij hem over Marte Jacobs, 'een meisje uit de eerste dat volgens mij later leuk kan worden en waar ik wel eens naar kijk. Heb jij niet ook zo'n klein meisje waar je in het geheim naar kijkt?'

Reiff keek nooit naar meisjes uit de eerste klas zei hij, en Emile wist dat hij een fout had gemaakt, want toen Reiff zich dat toekomstig-leuke meisje dan wel wilde laten aanwijzen, kon hij niet meer terug.

En op de eerstvolgende woensdagochtend tussen Grieks en Duits, toen Marte uit de donkere gang op de tweede verdieping tevoorschijn kwam, stootte Emile Reiff aan en knikte in haar richting. Precies op het verkeerde moment, ze zag het. Hij schaamde zich: het was alsof hij haar een duw had gegeven waardoor ze ineens op een podium voor een volle zaal stond. Ze beantwoordde zijn knikje, maar in haar ogen was een bozige glinstering.

'Ze hééft iets, vind je niet?' zei Emile toen ze bij Duits waren.

'Dat kind met die gele strik in haar haar? Die heeft de seksualiteit van een platvis,' zei Reiff. 'Die Thérèse van jou, dàt is een stuk.'

'Thérèse van mij?' zei Emile. 'Hoe kom je daarbij, ik wou dat het waar was.'

Het hele uur Duits ging aan hem voorbij. Verachtelijke stommeling die hij was. Hij had Marte als een soort klein zusje gezien dat hij moest beschermen, en nu had hij haar bezoedeld, iets wat alleen van hen tweeën was te grabbel gegooid. Het was zíjn schuld dat het woord *platvis* nu aan haar kleefde, al was het alleen in zijn gedachten en die van Reiff. Die had hem met dat enkele woord laten voelen wat hij werkelijk had gedaan – zijn hele verhaal over sterretjes uit de eerste klas was een voorwendsel geweest om Marte aan hem te kunnen aanwijzen, in de hoop dat hij zijn goedkeuring over haar zou uitspreken. Het omgekeerde was gebeurd: door haar even met Reiffs ogen te bekijken, had hij gezien dat ze niet alleen uit ranke lijntjes bestond, maar misschien ook iets boers had.

Hij hoopte haar vlug weer te zien, en door haar knikje en haar lachje te weten dat hij zich had vergist en dat ze niet echt boos was. Maar die dag zag hij haar niet meer en de dagen daarop ook niet. En de volgende woensdagochtend tussen Grieks en Duits dook ze niet op uit de donkere gang op de tweede verdieping.

Het was alsof zijn fout zijn hele sterretje had weggevaagd. En toen hij Marte een paar dagen later toch ineens weer in de fietsenstalling zag, en ze als vanouds naar hem knikte met haar lachje dat zei: wij zijn die twee die altijd naar elkaar knikken omdat we toen die keer hebben gevoetbald, voelde Emile een onmetelijke opluchting.

Hij had nu wel iets goed te maken; hij moest haar laten weten dat hij haar werkelijk bijzonder vond. Maar hij kon moeilijk op haar afstappen en dat zeggen. Hoe dan? Dat lag voor de hand – met het talent dat hij had.

Hij overwoog anoniem een verhaaltje over haar in de kopijbus voor de schoolkrant te gooien. Anonieme stukken werden in principe geweigerd, maar als ex-hoofdredacteur zou hij de rest van de redactie wel kunnen ompraten. Als hij er echt iets goeds van maakte zouden zíj het willen plaatsen. Dan zou hij kunnen doen alsof hij ertegen was, en zouden zij het er doordrukken.

Maar al snel realiseerde hij zich dat het, anoniem of niet, niet herkenbaar over Marte mocht gaan, laat staan dat haar naam genoemd kon worden – dat zou haar in verlegenheid brengen.

Misschien dan iets waarin ze niet herkenbaar was – een verhaal getiteld Aan een Meisje uit de Eerste Klas, ondertekend met Zesdeklasser of Bijna-Oudleerling. Het zou een beschrijving zijn van haar sierlijkheid, vermomd als ode aan het eersteklassemeisje in het algemeen. Dat was mooi, want dat was een taboe – misschien zou hij de eerste zesdeklasser zijn die ooit in een schoolkrant had toegegeven dat hij naar een meisje uit de eerste keek. De school zou vol zijn van het mysterie: wie had dat geschreven? Over wie ging het? En Marte zou voelen dat zij dat was – en dat hij het geschreven had.

Er was één probleem: Reiff zou ook meteen weten dat dat verhaal van hem was, en dat het over die platvis ging. En dat zou hij niet voor zich houden.

Het was rampzalig geweest, hem over zijn sterretje te vertellen.

Maar plotseling, op een woensdagochtend tijdens Duits, nadat hij naar Marte had geknikt en zij naar hem, zag hij hoe het moest. Hij moest niet schrijven over Marte, niet over een eersteklassertje, niet eens over een meisje, maar over een pasgeboren girafje. Dat wàs Marte, maar alleen hij wist het. Dan kon hij zelfs gewoon zijn naam eronder zetten.

Het was perfect: niet een naamloze hogereklasser zou schrijven over een naamloos meisje uit de eerste – Emile Binenbaum zou schrijven over Marte Jacobs en hoe hij met haar gevoetbald had. Al zou Marte niet Marte zijn, het voetballen niet het voetballen, de duinpan niet de duinpan, en hij niet Emile.

Maar zodra hij, nog diezelfde avond, aan zijn verhaal begonnen was, voelde hij dat het geen verhaal moest worden, maar een gedicht. Een verhaal was niet precies, niet dwingend, hele zinnen konden anders terwijl het verhaal toch hetzelfde bleef. In een gedicht kon niets anders, het was strak zoals de bewegingen van het pasgeboren girafje strak waren geweest. En het moest rijmen; iedere regel moest de volgende al in zich dragen en toch verrassen, zoals haar bewegingen verrassend waren geweest, en toch niet anders hadden gekund.

Emile had nog nooit een gedicht geschreven, maar ook dat maakte het mooi: voor Marte zou hij iets nieuws doen.

Het werd een gedicht over een pasgeboren girafje dat speelde met een andere giraffe – niet pasgeboren, maar toch jong. Een neef – dat drukte hun verwantschap uit. De duinpan was de savanne in Afrika, de bal was een pluk gras die daar rondwoei, de sierlijkheid van Martes lange benen was de sierlijkheid van de nek van het girafje, haar zichzelfomschoppende schijnbewegingen waren het gestruikel van het girafje bij het spel met de pluk gras, samen met de neef. Emile verstopte er één letterlijke verwijzing in – een beweging van het girafje noemde hij *slinks*.

Hij was er avonden mee bezig, versie na versie, dagenlang, de hele tijd die hij nog had vóór de eerstvolgende inleverdatum. Uren waarin hij eigenlijk voor zijn eindexamen had moeten werken, want daar wilde hij wèl voor slagen. Als hij zakte, dan zouden Marte en hij nog een jaar samen op school zitten en alleen maar naar elkaar kunnen knikken en lachen in de gangen, en een tweede jaar van een belofte die niet kon worden ingelost zou niet te verdragen zijn.

Het was precisiewerk. Geen lettergreep kon op den duur nog anders, of het hele gedicht zou zijn tover verliezen en alleen nog maar over twee giraffes en een pluk gras gaan, niet meer over Marte Jacobs en Emile Binenbaum die gevoetbald hadden in een duinpan. Maar juist die dwang was heerlijk. Die leverde problemen op, en een grote, nieuwe vreugde als hij oplossingen vond.

Als hij in die dagen Marte op school zag, dan dacht hij: ze moest eens weten.

In de nacht voor de kopij ingeleverd moest worden, voegde Emile een wolkje toe dat er al eerder in had gestaan en dat hij bijna òm de versie uit het gedicht had verwijderd en er weer in had teruggezet. Dat wolkje dreef over de warme savanne en verfriste met een fijn regentje even het pasgeboren girafje en de neef – hij had nooit kunnen beslissen of dat nu wel of niet de grens van de herkenbaarheid overschreed en Marte zou dwingen aan de stuifwolkjes te denken die zij en hij op het bankje hadden omhooggeblazen.

Wat kan het me ook schelen, dacht hij. Ze moet een kans hebben om te weten dat wij het zijn. Een niet te grote kans, maar ook niet een te kleine.

De schoolkranten werden zoals altijd in de ochtendpauze door de klassenvertegenwoordigers opgehaald in de lerarenkamer en in de klas rondgedeeld. Toen Emile het lokaal binnenkwam, lagen ze al op de tafeltjes.

Pasgeboren Girafje stond er prachtig in; op een pagina voor zich alleen, de laatste. Ook op Martes tafeltje lag de schoolkrant nu. Zou ze het gedicht meteen zien? Las ze het *nu*? Zou ze het begrijpen?

Het lokaal raakte gevuld; een paar klasgenoten stopten de schoolkrant zonder erin te kijken in hun tas, anderen schoven hem naar een hoek van hun tafeltje, een enkeling sloeg hem open, ook Reiff. Hij las; Emile kon niet zien wat. Maar Reiff draaide zich naar hem om, keek hem over zijn bril heen aan, en zei: 'Poëet!'

Uit zijn toon viel niet op te maken wat hij van het gedicht vond, en Emile was al blij dat hij niet zei:

dat gaat zeker over die platvis.

In de kantine, tijdens de middagpauze, voelde Emile andere blikken op zich gericht dan anders, van mensen die het gedicht gelezen hadden en die tegen elkaar zeiden: kijk, daar zit hij. Hij durfde nauwelijks naar het tafeltje te kijken waar Marte altijd zat, maar toen hij het toch deed ving hij niet haar blik op. Ze at een boterham.

En ineens voelde hij een grote teleurstelling. Ze zat daar te midden van haar vriendinnen, van wie sommigen al bijna vrouwen waren, met borsten en geheimzinnige blikken – en zij was een kind. Ze wist van niets. Het sloeg helemaal nergens op, hij had zijn ziel gelegd in een ode aan een kind. En het wolkje verraadde alles. Het was eeuwig stom geweest dat erin te zetten. Dat ze nu gewoon een boterham at kon alleen betekenen dat ze het gedicht nog niet gelezen had. Als ze dat deed zou ze zich doodschrikken, aan haar vriendinnen vertellen wat er aan de hand was: Emile Binenbaum had een gedicht over haar in de schoolkrant geschreven. *Emile Binenbaum* – over háár! Die vriendinnen zouden het verder vertellen, de hele school zou het weten, Thérèse, Reiff, alle leraren. Iedereen zou hem uitlachen om zijn ode aan een kind van twaalf. Een platvis uit de eerste. En iedereen zou háár uitlachen. Hij had willen goedmaken dat hij haar te kijk had gezet, en nu had hij haar nog veel erger te kijk gezet.

Er kwam een leraar naar Emiles tafeltje om te zeggen dat hij het gedicht zo goed vond. 'Dat girafje! Dat heb je zó mooi beschreven. Helemaal de pracht van de jeugd. En dat spelen met die neef. Dat is echt liefde, dat zijn kameraden voor het leven. Schitterend, jong.'

Af en toe keek hij uit een ooghoek naar Marte, maar zij at en praatte, en op haar tafeltje was geen schoolkrant te bekennen. En toen Emile opstond om samen met Reiff nog wat buiten te lopen voor de middaguren begonnen, keek ze hem niet na.

Ze moest het nog ontdekken.

Reiff zei niets waaruit bleek dat hij het gedicht had begrepen, en de middag ging voorbij zonder dat Emile het middelpunt werd van wetend gefluister, wijzende vingers, ingehouden gelach. Wel kwam er tussen twee uren nòg een leraar naar hem toe die hem met zijn gedicht complimenteerde en Suzanne Robbers, het lelijkste meisje van zijn klas, met wie hij nog nooit een woord had gewisseld, zei zomaar tegen hem: 'Grappig gedicht.'

Alsof er niet al tien verhalen van hem in de schoolkrant hadden gestaan waar ze iets over had kunnen zeggen.

En zelfs toen hij na het laatste uur op de stoep voor school, in de drukte van alle leerlingen met hun geroep en gegooi, en het lawaai van hun startende brommers, nog wat stond te praten, voelde hij geen weten om zich heen.

Marte zag hij niet.

Maar ineens stond ze tegenover hem.

Het was alsof alles zweeg, alles zich naar hem en haar draaide, en ze in een cirkel van stilte stonden. Achter haar was een groepje giebelende meisjes, haar vaste clubje, nog met uitgestrekte armen, alsof ze haar naar hem toe hadden geduwd. Maar zij keek ernstig, met dat licht spottende, wijze glimlachje van haar.

'Ik wou nog zeggen,' zei ze. 'Ik vind het zo'n leuk gedicht in de schoolkrant. Van dat girafje.' Achter haar proestten de vriendinnen het uit, en nu lachte ze ook zelf even, zich afbrekend met een geërgerde blik achterom.

Wisten die meisjes dat hier de neef en het pasgeboren girafje tegenover elkaar stonden, dichter en bezielster van het gedicht? Wist zij het?

Wist de hele school het?

'O, dank je, leuk om te horen,' zei Emile en toen was het rumoer, het gebots, het geschreeuw, het geknetter van de brommers er weer, stapte Marte achteruit, was ze weg, en stond hij weer met zijn fiets aan de hand tussen zijn vrienden.

Terwijl hij naar huis fietste, langzaam om haar niet in te halen, kwam er een grote opluchting over hem. Marte had het gedicht niet begrepen. Als ze wist dat zij het pasgeboren girafje was, dan had ze niet voor het oog van de hele school op hem af durven stappen. Het gedoe van die andere meisjes was er alleen geweest omdat zij, een eersteklassertje, een jongen uit de zesde had durven aanspreken, en dan nog wel een redacteur en ex-hoofdredacteur van de schoolkrant.

Maar waarom had ze dat dan gedaan? Er hadden daar nog wel meer leerlingen gestaan die het gedicht hadden gelezen en leuk hadden gevonden. Maar die waren dat niet komen zeggen. Waarom zij dan wel?

Heel eenvoudig: omdat zij degenen waren die elkaar *altijd* groetten. Ze had het gedicht gebruikt als aanleiding voor een extra knikje en lachje. De boodschap was niet begrepen, en toch beantwoord.

Marte kreeg weer buitengym, Emile zag haar weer rennen in haar gympakje, maar hij besefte dat dat geen nieuw begin was, maar het begin van het einde. De woensdagochtenden met de gang Grieks-Duits konden niet eeuwig duren; het rooster werd aangepast, het practicum hield op, Grieks èn Duits hielden op, het eindexamen naderde.

Toen hij op een ochtend uit de schoolbibliotheek kwam waar hij wat boeken had teruggebracht, stond hij ineens tegenover haar. Hij had haar nog nooit in die gang gezien; het was alsof ze samen in een ander land waren.

'Hé, Marte,' zei hij.

'Hé, dag,' zei zij.

Ze keek hem aan, met die wijze blik.

'Ik doe vlug examen,' zei hij.

'Ja, het is mei. Denk je dat je slaagt?'

'Ik denk het wel. En jij? Ga je over?'

Ze trok een zorgelijk gezicht. 'Ik had drie onvoldoendes op m'n paasrapport. Algebra, natuurkunde en Latijn.'

'Dat komt toch nog wel goed?'

Ze haalde haar schouders op. 'Misschien moet ik

toch van school. Ik ga misschien verhuizen.'

Emile dacht aan de doorgestreepte adressen. 'Waarnaartoe?'

'Groningen.'

Hij had zich voorgesteld dat hij haar nog wel eens toevallig op straat zou zien, maar ineens was het alsof Amsterdam na de zomer een lege stad zou zijn.

'Vind je dat vervelend?'

Ze maakte een gebaar dat zei: ik kan er toch niets aan veranderen. 'Misschien gaat het niet door,' zei ze. 'Wat ga jij doen als je slaagt?'

'Studeren. Nederlands.'

'Dat dacht ik wel. Ga je nog meer gedichten schrijven? Dat gedicht over dat girafje vond ik zo leuk.'

Emile keek naar de sproetjes op haar neusvleugels en ineens wist hij: dit is de laatste keer dat ik met haar praat. Ik zal haar nog twee keer zien in de kantine, nog één keer op de stoep bij de slager, en dan nooit meer. Als ik haar wil vertellen dat zij het pasgeboren girafje is, dan moet ik het nu doen.

'Ik vond het ook leuk om te schrijven. Het was m'n eerste gedicht.'

'Echt je eerste?'

'M'n allereerste. Het is eigenlijk leuker dan verhalen schrijven. Dwingender, preciezer.' Ze zwegen even. 'Hé, dat had ik je nog een keer willen zeggen. Ik zag een keer een tekening van je in het tekenlokaal. Van een hondje.'

'O ja! Staart.'

'Staart? Wat een grappige naam.'

Ze lachte. 'Zo noem ik haar. Het is het hondje van m'n oma, eigenlijk heet ze Lady. Maar ze luistert als je Staart zegt.'

'Die tekening hangt er niet meer, zag ik laatst.'

'Ze hangen daar steeds nieuwe. Hij heeft er maar even gehangen.'

Ze zwegen weer.

'Ik vond het een heel goede tekening,' zei Emile.

'Echt? Ik vind tekenen leuk. Dáár had ik een negen voor.'

De bel ging. Marte maakte een gebaar naar het eind van de gang waar, zag Emile nu, een paar meisjes bij de deur van een lokaal wachtten.

'Ik moet naar tekenen,' zei ze. 'Toevallig, daar hebben we het net over.'

'O, ga dan maar vlug,' zei hij. 'Dag.'

'Dag,' zei Marte. Ze holde weg en ging zonder nog om te kijken het tekenlokaal binnen.

4 Iedere keer

Thérèse Wenneker was Emiles eerste, derde, en zevende vriendin. Op een avond aan het begin van de zomer waarin ze de zevende was, zag hij in de foyer van een bioscoop Marte Jacobs. Hij was alleen, zij met twee vriendinnen.

Maar hij twijfelde nog op hetzelfde moment. Kon dat echt Marte zijn? Ze was veel groter dan hij zich herinnerde, haar haar was nu bruin en bedekte haar oren, en ze stond er wat ongelukkig bij, alsof haar nieuwe lichaam een jas was die ze zich niet vond staan, maar die ze van haar moeder had gekregen en daarom wel aan moest.

Emile keek of ze al borsten had, en schaamde zich daarvoor. Ze droeg een slobberig zwart vestje, hij kon het niet zien. Ze was helemaal nogal slobberig gekleed.

De voorspelling van het sterretje is niet uitgekomen, dacht hij.

Maar het moest Marte zijn, door dat zigeunerachtige meisje bij haar dat op school ook altijd in haar buurt was geweest, door de wijze spot in haar glimlachje – en de herkenning van hem die daarin was.

Hij ging naar haar toe. 'Jij bent toch Marte Jacobs?' zei hij. En toen ze knikte: 'Weet je nog wie ik ben?'

Ze lachte, en hij zag de verkleuring in haar tanden. 'Ja, natuurlijk. Emile Binenbaum. Van school, van de schoolkrant.'

Ze zwegen even, en het kwam bij Emile op om te zeggen: hé, weet je dat eigenlijk? Dat gedicht in de schoolkrant toen, Pasgeboren Girafje. Dat ging over jou.

Maar hij vroeg: 'Zit je nog op het Amstel?'

'Ik zit er wéér op.'

'O ja, je zou toen misschien verhuizen. Naar Groningen, toch?'

Er kwam een verbaasde lach op haar gezicht. 'Dat je dat nog weet.'

'Dus dat is toen doorgegaan.'

'Ja, behalve dat het Rotterdam werd.' Ze grinnikte. 'Daar heb ik een jaar gewoond. Maar nu woon ik weer hier. Ik ben blijven zitten, dit jaar. Ik ga weer naar de derde.' Ze maakte een grimas. 'En jij? Ik zag laatst een gedicht van je. In dat nieuwe blad.'

46

'De Tik?'

'Ja, de Tik. Dat vond ik leuk. Goed, bedoel ik.'

'Gedichten mogen best leuk gevonden worden hoor. Dankjewel. Er hebben er ook een paar in de Amsterdamse Tribune gestaan. Op de jongeren-pagina. Twee op de gewone dichterspagina.'

'Weet ik. Die vond ik ook goed. En leuk.'

'En jij? Teken je nog?' Hij zag het hondje voor zich dat in het tekenlokaal had gehangen.

Ze keek verbaasd dat hij dat ook nog wist. 'Soms,' zei ze. 'Vaak, eigenlijk.'

'En heb je nog wel eens gevoetbald?'

Ze schudde haar hoofd. 'Meisjes voetballen niet.'

Ze lachten samen.

Terwijl ze verder praatten, waarbij bleek dat zij nog wist dat hij Nederlands zou gaan studeren, en hij vertelde dat hij dat inderdaad was gaan doen, maar na een jaar was overgestapt op psychologie, en zij dat een vakantiekamp waar ze naartoe had zullen gaan niet doorging vanwege dat zittenblij-ven, zodat ze de hele zomer in de stad zou zijn, ontstond er een beweging in hun groepje, nu van vier, waardoor ze tegelijk kaartjes kochten. Met z'n vieren liepen ze de zaal in, Emile achter de meisjes van wie Marte de laatste was, zodat hij naast haar kwam te zitten.

Dat was toch wel bijzonder. Een meisje met wie hij gevoetbald had in een duinpan, en dat later bij hem op school had gezeten, zij in de eerste, hij in de zesde. Aan wie hij een gedicht had gewijd in de

47

schoolkrant, al wist ze dat waarschijnlijk niet. En nu zaten ze naast elkaar in de bioscoop.

Een paar keer keken ze op hetzelfde moment opzij en lachten dan, met een kort ademstootje door de neus, alsof het heel gek was om de ander te zien.

Het licht ging uit, het voorprogramma begon.

Hij had zich wel eens afgevraagd waar ze was en wat ze deed, en nu zag hij het met eigen ogen, voelde hij het met eigen onderarm: ze zat in een bioscoop, naast een veel oudere jongen die ze van vroeger kende. Wat zou ze daarvan vinden? Hij stelde zich voor dat hij hier geblinddoekt was binnengebracht, en moest raden wat die lichte druk was die hij op de leuning tegen zijn arm voelde – zou hij dan op het idee kùnnen komen dat dat de arm was van dat meisje?

In de pauze haalde hij ijsjes, voor alle vier.

Toen hij weer zat bedacht hij dat het net zo was als bij het voetballen: ze zaten naast elkaar en hadden ijsjes. Toen had zij ijsjes gehaald, nu hij. Ze hield het hare even naar hem op, met een gebaar dat zei: ik heb mijn ijsje in mijn rechterhand. Maar ik voetbal links.

Van de hoofdfilm zag Emile weinig. Een man had een vriendin tegen wie hij eerst onaardig deed en later aardig, maar gaandeweg drong tot hem door dat het twee verschillende meisjes waren. Hij dacht aan Marte. Ze was nu veertien; hij telde het een paar keer na. In ieder geval klopte dat met de leeftijd die hij haar toen had gegeven. Op één ja-

48

nuari werd ze vijftien. Dit was, na het voetballen en school, de derde keer dat ze elkaar tegenkwamen. Iedere keer bij toeval.

Af en toe keek hij uit een ooghoek naar haar, en zag dan de lijn van haar wang en kin. Hij voelde dat ze ook af en toe naar hem keek.

Emile Binenbaum, van school, van de school- krant, had ze gezegd. Niet: van de gang tussen Grieks en Duits. Of: van het voetballen. Ze had dingen genoemd die de andere meisjes ook konden weten. Ze had gezegd: die andere dingen gaan hun niet aan, die gaan alleen ons aan.

Staart! – zo heette het hondje van de tekening, ineens kwam het bij hem op. Dat dat nog in zijn hersens zat! Een idioot verlangen overviel hem om dat hondje in werkelijkheid te zien, alsof dat zou kunnen bewijzen dat ze elkaar echt al van vroeger kenden.

Ze las zijn gedichten in de krant – misschien had ze die Tik speciaal gekocht omdat ze wist dat er iets van hem instond.

Af en toe lachte ze, maar alleen als haar vrien- dinnen lachten, alsof ze op hen reageerde, en net als hij de film niet echt zag. Maar ineens was die af- gelopen en stonden ze met z'n vieren op straat.

Het was nu donker. Bijna twaalf uur, zag Emile op een torenklok.

'Zullen we nog ergens wat gaan drinken?' zei hij. Hij was van plan geweest om ook nog naar een nachtfilm te gaan, maar dit ging voor. Hij kon het niet weer aan het toeval overlaten of hij Marte nog eens zou zien. Het was goed dat die andere meisjes erbij waren, nu klonk het alsof hij nog wat wilde napraten over de film, met een paar mensen die hem toevallig ook hadden gezien.

Maar waar kon een student van eenentwintig om middernacht terecht met drie meisjes van veertien?

Dat losten zij op; ze moesten naar huis, de laatste tram halen. Het was al een wonder dat ze zo laat naar de film hadden gemogen. Net als in de bioscoop ontstond er beweging bij de meisjes, een begin van hun naar huis gaan, waardoor de twee vriendinnen even niet meer bij Marte waren, en hij met haar alleen stond.

'Zullen we nog eens wat afspreken?' zei hij.

'Ja, goed,' zei ze. Haar stem klonk vlak, bijna schor, alsof die afspraak al bestond en ze die alleen maar bevestigde.

In de haast die er door die tram was, en Emiles verbijstering dat hij nu een eigen afspraakje had met Marte Jacobs, schoot de invulling erbij in, en zij stelde voor elkaar hier weer te zien, bij de uitgang van de bioscoop, de volgende middag om vier uur.

Nu zag Emile toch zijn nachtfilm – de tweede achtereenvolgende film die geheel langs hem heen ging.

Het was te gek voor woorden – hij had een afspraak met een meisje van veertien. En dan niet met een vrouw van veertien zoals er genoeg waren, bijvoorbeeld dat zigeunerachtige meisje dat bij Marte was geweest, maar met een kind van veertien. Hij, een derdejaars student, een dichter wiens gedichten in kranten en bladen stonden, wiens naam genoemd werd in stukken *over* poëzie – die al, in het vage weliswaar, maar toch, benaderd was voor een bundel, en dan nog wel door Publicum, de uitgeverij waar iedere dichter van droomde.

Die een vriendin had met wie hij nacht aan nacht sliep.

Wat moesten ze gaan doen? Wat moest hij wìllen?

Het regende de volgende dag. Ook dat nog. Nu konden ze niet eens op een terrasje gaan zitten. De hele nacht, de hele ochtend en middag had Emile zich afgevraagd wat ze konden gaan doen, en nu kon dat al niet. Een rondvaart? Een museum?

Een film?

In gedachten legde hij het voor aan Reiff. Een kinderboerderij, zei die.

Misschien sprak het door de regen vanzelf dat het niet door zou gaan, en hopend dat ze niet zou komen ging Emile naar de bioscoop, maar toen hij een paar minuten voor vier zijn motorfiets aan de overkant van de straat op de standaard trok, zag hij Marte al.

Hij stak over en ging naar haar toe. Ze stak haar hand uit, en hij schudde die.

Nu, bij daglicht, zag ze er nog kinderlijker uit. Tegen beter weten in had hij gehoopt dat hij de vo-

rige avond niet goed gekeken had, en dat dat slob-
berige van haar kleren de verhulling was geweest
van iets spannends, een uitdagendheid in haar blik,
een lijn in haar hals die je omlaag zou willen
volgen. Ze had nu haar best gedaan met haar kleren, leek het, maar het waren kinderkleren: een
zwart regenjackje met daaronder een blauw-wit ge-
streept truitje, een witte spijkerbroek, gymschoenen.
Niets van de bonte, uitheemse, benen en borsten
tonende mode van die zomer. Om haar hals, half
verborgen door haar haar en de kraag van dat jackje, had ze een ketting van in elkaar gehaakte kleuri-
ge reuzenpaperclips. Dat jackje hing een beetje
open en je kon nu zien dat ze borstjes had, maar die
staken naar voren op een manier die alleen maar
liet zien hoe klein ze waren. Ze had haar lippen ge-
stift in een bleekrode kleur – maar juist omdat ze
zich nu had opgedoft, zag je hoe weinig er op te
doffen *viel*.

En daar had hij wel eens aan teruggedacht. Een
gedicht aan gewijd. Nu bad hij dat ze dat niet wist
– dat niemand het ooit zou weten. Wat een vergissing. Ze was gewoon een kind van veertien. Hoe
moesten ze de tijd doorkomen? Rond zes uur zou
ze wel thuis moeten zijn, of kon hij met goed fat-
soen zeggen dat híj ergens heen moest – er viel een
kleine twee uur vol te maken.

Gelukkig vroeg zij ook niet wat ze gingen doen.
Het tegenover elkaar staan hield op, ze begonnen
te lopen. Ze wachtten bij een stoplicht, staken
over, gingen een drukke winkelstraat in. Er was

steeds een flinke afstand tussen ze; soms liep er iemand tussen ze door. Af en toe schikte ze haar jackje, met een kortaf schouderbeweginkje.

Ze zwegen. Hij kon toch niet weer iets over het voetballen zeggen?

Eigenlijk moest hij een paraplu kopen, maar daar zouden ze dan samen onder moeten en hoe minder ze bij elkaar leken te horen hoe beter – ze konden gezien worden door iemand die hem kende, zijn ouders, Reiff, vrienden van Thérèse, Thérèse zelf. Wat zouden die denken? Wat moest hij dan zeggen?

Ze moesten schuilen voor mogelijke blikken, zo vlug mogelijk. En voor de regen. Maar waar? Dit was ontzettend zielig. Dit was de eerste keer dat ze samen hadden *willen* zijn – en dan dacht je alleen maar aan hoe je de tijd moest doorkomen.

'Hoe kwam jij toen eigenlijk in Schoorl?' vroeg hij. 'Op die verjaardag toen, die keer dat we voetbalden.'

Maar zijn laatste woorden gingen verloren omdat ze over een gracht liepen en een passerende vrachtwagen ze dwong achter elkaar te gaan lopen op het smalle trottoir.

Zij liep voor hem en hij keek naar haar, naar haar nek waarin natte haarpiekjes plakten, naar dat goedkope jackje dat meebewoog met haar stappen, en hij dacht: ze is niet alleen maar iets waarmee ik me nu opgelaten voel. Ze leeft, ze is veertien, ze kan het niet helpen dat het sterretje van school niet meer bestaat, ze is meer dan alleen maar de afgezant daarvan. Ze heeft gevoelens en wensen, ouders, een zusje, broers misschien, vriendinnen. Er zijn mensen die weten dat ze vanmiddag een afspraakje heeft en die hopen dat ze het leuk zal hebben. Ze heeft voor de spiegel gestaan en gedacht: ja, dit trek ik aan voor mijn afspraakje met Emile. Ze is even radeloos als ik.

De vrachtwagen was voorbij; Marte hield haar pas in tot ze weer naast elkaar liepen.

'Sorry, wat zei je?' zei ze.

'Die verjaardag, die keer dat we voetbalden. Toen waren we toch op dat feestje, in Schoorl? Bij die advocaat, Hoefs. Niek Hoefs. Dat is een vriend van mijn ouders. Toen gingen we met z'n allen voetballen. Hoe kwam jij daar toen eigenlijk? Toen ik daar terugkwam was je al weg.'

Ze trok een verbaasd gezicht. 'Hoefs? Ik ken geen Hoefs. Helemaal geen advocaat. Ik was met mijn moeder, bij een kennis van haar. Toen ging ik wat in de duinen rondlopen en zag ik jullie. Ik was daar voor het eerst.'

'Ik ook,' zei Emile.

'En ik ben er nooit meer terug geweest,' zei ze.

'Ik ook niet,' zei hij.

Ze kwamen bij een brede en drukke straat, sloegen die in, staken een paar bruggen over, stonden op een pleintje aan de voet van een toren, de Westertoren. Er waren daar stalletjes, met fruit, snoep en vis, en Emile vroeg of ze iets wilde. Ze koos een zakje zwart-op-wit, en hij nam er ook een.

Ze strooiden het poeder uit op hun handpalmen,

likten. Je moest vlug zijn, anders maakte de regen het te nat.

'Vind jij dat óók lekker?' zei ze. 'Ik dacht dat dat alleen iets was voor kinderen.'

'Je bracht me op een idee.'

'Dit is wel echt Amsterdam,' zei ze. 'Het regent, we staan bij de Westertoren, en we hebben zwart-op-wit.'

Ineens herinnerde Emile zich dat hij als kleine jongen de Westertoren een keer met zijn vader beklommen had. Dat zei hij, maar Marte bleek te denken dat hij voorstelde om dat nu te doen. Hij liet het; het was in ieder geval een plan, het zou zeker een halfuur voorbij doen gaan. De ingang was om de hoek; tot zijn opluchting was het nog open. Marte haalde een groen portemonneetje tevoorschijn, maar het was veel duurder dan de zwart-op-wit, en na wat aandringen vond ze goed dat hij ook dit betaalde.

Over houten trappen, die zo smal en steil waren dat er touwen langs hingen om je aan vast te houden, en langs een reusachtige klok die maar net binnen de muren paste, klommen ze omhoog. Emile stootte keihard zijn knie tegen een trede en vloekte, en zij stootte zich ook en riep 'Au!' en ze moesten allebei lachen. Daar hadden ze zomaar iets leuks ontdekt om samen op een regenachtige middag te doen: je knie stoten op de Westertoren.

Boven woei een stevige wind; het regende nog steeds. Er waren twee andere toeristen, die snel verdwenen. De trans was maar halverwege de toren, maar je had toch een mooi uitzicht, alsof je over het boerenland uitkeek, met de grachten als slootjes en de kruinen van de bomen als weilanden.

Ze liepen een rondje, wezen elkaar straten en gebouwen, het Amstel Lyceum, hun huizen. Emile wees waar hij vroeger had gewoond, en naar het huis waar hij nu een souterrain had; Marte wees naar de straat waar hij toen door was gefietst en bijna had Emile dat gezegd, maar hij hield zich in.

Daar woonde ze nu weer.

'Konden jullie dan zomaar terug?' vroeg Emile. 'Je had toch een jaar in Rotterdam gewoond?'

'Dat was met m'n moeder,' zei ze. 'Ik woon vaak bij m'n oma, *die* woont daar. Maar m'n moeder woont nu ook weer in Amsterdam.'

Emile zag de doorstrepingen in de adressenlijst voor zich.

Ze voerde hem mee naar de andere kant van de toren, en wees naar de westkant van de stad. Daar was het huis van haar moeder. *Die* verhuisde steeds, en zij ging soms mee, soms niet. Behalve in Rotterdam had ze de laatste twee jaar ook een paar maanden in Harmelen gewoond, en een paar weken in Breda. Nu ging haar moeder waarschijnlijk naar Arnhem, en ze kon mee, maar daar had ze geen zin in. Ze was nu wel vaak genoeg verhuisd, zeventien keer.

'Waarom verhuist je moeder zo vaak?' vroeg Emile.

'Mannen,' zei Marte.

'En je zusje? Verhuist die ook steeds mee? Of is die al de deur uit.'

'Zusje?'

'Je had toch een ouder zusje? Dat meisje dat je toen kwam halen bij het voetballen.'

Ze dacht na, en ineens moest ze lachen. 'O ja! Dat was geen meisje, dat was m'n moeder.'

'Je *moeder*?'

'Ze is dertig. Ze heeft me gekregen toen ze zestien was.' Ze maakte een gebaar alsof ze het over een dom kind had, dat altijd weer dezelfde fout maakt.

Is dat iets grappigs of iets zieligs, dacht Emile. Iets zieligs waarschijnlijk. Misschien moest hij daar dan maar niet op doorgaan, of naar haar vader vragen. Daar zei Marte zelf ook niets over. Hij haalde zich het meisje voor de geest dat toen in de beginnende schemering aan de rand van het voetbalveld had gestaan: een sexy wezen in shorts, met mooie benen, opgestoken blond haar, een open bloesje met de onderste punten aan elkaar geknoopt tot een soort mandje met twee grote borsten erin. Hij kon zich zelfs een gedachte herinneren: wat doet dat meisje haar best, maar dat kleine zusje is leuker.

'Mijn oma heeft háár gekregen toen ze achttien was,' zei Marte.

Achttien – zestien – veertien, dan mag je wel uitkijken, dacht Emile, maar als om te voorkomen dat hij die flauwe grap ook werkelijk zou maken, praatte Marte vlug verder. 'Ik vond het zó erg dat je me gisteravond zo zag. In die kleren. Ze kwamen ineens langs om naar de film te gaan, ik had geen tijd om iets anders aan te trekken. Ik dacht: ik kom toch niemand tegen. En toen kwam ik jou tegen. Hé – weet jij geen kamer voor me?'

'Een kamer?' zei Emile. 'Je zit nog op school!'

'Ik weet ook wel dat het een beetje raar is. Ik ben pas veertien. Ze zouden het ook niet goedvinden denk ik. Maar misschien hangt het af van de kamer. Met een hospita die een beetje op me let of zo.' Ze haalde haar schouders op.

Ze leunden een tijdje over de balustrade, liepen een rondje, af en toe stilstaand om elkaar nog iets aan te wijzen of gewoon te kijken. Het was te grijs om buiten de stad iets te zien. Marte liep een eigen rondje, hij een rondje de andere kant op; ze grinnikten toen ze langs elkaar moesten schuifelen op de smalle omloop. Maar toen hij haar aan de andere kant van de toren weer zag, stond ze stokstijf, haar natte haar in zwart lijkende slierten tegen haar wangen, met grote ogen, alsof ze van iets geschrokken was. Hij schrok bijna van háár.

'Ik weet ineens weer wat ik vannacht gedroomd heb,' zei ze. 'Dit! Ongelooflijk, ik ben in m'n droom!'

Ze was opgesloten geweest in een toren en ze zou daar negen jaar moeten blijven. Dan zou er beneden iemand komen die 'Marte!' riep, en mocht ze eraf. Daar hield de droom op, ze was niet te weten gekomen of er echt iemand kwam.

'Marte!' riep Emile, maar ze leek het niet te horen. 'Wat een nare droom,' zei hij.

Maar dat was het helemaal niet geweest. 'Ik wist dat het een droom was. Dat weet je vaak in je

58

droom. Het was juist naar dat ik wakker werd, want daardoor kwam ik niet te weten hoe het afliep. En dan kom ik meteen de dag daarna op een toren terecht. Idioot gewoon!'

'Een voorspellende droom.'

Ze schudde haar hoofd. 'Die bestaan volgens mij niet. Het is toeval. Ik *herinner* me die droom omdat ik hier ben. Misschien heb ik vannacht wel duizend dromen gedroomd, één voor iedere plek waar ik had kunnen zijn. Nu moet jij vertellen wat jij vannacht hebt gedroomd.'

'Niets, geloof ik.'

'Iedereen droomt, iedere nacht. Dat is wetenschappelijk vastgesteld. Maar je onthoudt het niet altijd.'

'Dan heb ik niets onthouden van vannacht.'

'Dan een droom van een andere nacht.'

Hij had die nacht wel gedroomd, een droom die hem juist sterk was bijgebleven. Maar daar kwam Thérèse in voor. Hij probeerde razendsnel te bedenken of die droom ook vertelbaar was met weglating van haar – maar waarom *zou* hij haar weglaten?

'Ik droomde laatst dat ik door een poollandschap liep,' zei hij, 'met mijn vriendin.' Hij keek half langs Marte heen om niet haar teleurstelling te hoeven zien, of juist het ontbreken daarvan. Hij ging verder: ze waren in een dorpje terechtgekomen dat Rataplan heette.

'Rataplan,' lachte ze. 'Een dorpje dat Rataplan heet!'

In Rataplan had hij zijn vriendin achtergelaten en hij was alleen verdergegaan. Na een tijd had hij terug gewild om haar toch mee te nemen, maar toen had hij gedacht: nee, Rataplan, zo heten dorpjes niet, het zal wel niet echt bestaan, ze kan daar niet zijn. En hij was toch weer alleen verdergegaan. Daar was de droom opgehouden.

'Ja, zo zijn dromen,' zei Marte. 'Ze houden middenin op. Je weet dat Rataplan een gekke naam is voor een dorpje, maar toch heet het zo.'

Ze hield erg van dromen. Het was een soort bioscoop waar de gekste films vertoond werden en waar je gratis in mocht. Ze droomde veel en ze schreef ze soms op. En nu had ze een idee. Als je er niets mee deed, dan verdween een droom. Ook uit jezelf. Dan had hij er net zo goed niet geweest kunnen zijn. Maar als je hem opschreef, dan bleef hij bestaan. Ook als niemand het las. En, had ze gemerkt: door ze op te schrijven werden je dromen mooier en raarder, je onthield ze beter en er kwamen er steeds meer. Zij had vier of vijf, soms tien dromen op één nacht. Dat was vast ook zo als je ze vertelde. Daarom moesten ze elkaar iedere keer een droom vertellen.

Hij keek net in haar ogen op het moment dat ze zei: *iedere keer*, en hij dacht te zien dat ze bloosde. Ze had zich versproken: ze had gefantaseerd, misschien al in de bioscoop, over méér afspraakjes met hem, genoeg om daar woorden als 'iedere keer' voor te kunnen gebruiken.

De man bij wie ze de kaartjes hadden gekocht

kwam boven en zei dat ze weg moesten. De toren ging sluiten; ze hadden de tijd in de gaten moeten houden.

'Die *man* kwam me roepen,' zei Marte terwijl ze langs de trappen naar beneden klommen. 'Als hij niet gekomen was, dan hadden we echt opgesloten gezeten. Je had gelijk, het was toch een voorspellende droom.'

Toen ze weer op straat stonden was het kwart voor zes. Marte moest naar huis. Haar oma was streng, ze kon beter niet te laat komen. Ze had vaak ruzie met haar.

Emile liep mee naar de tramhalte, en wachtte samen met haar op haar tram. Tot op het moment dat die zichtbaar werd aan de andere kant van de brug bestond de mogelijkheid dat ze het ook nu weer aan het toeval zouden overlaten of ze elkaar nog eens zouden zien.

Maar hij kon haar niet in de steek laten met haar 'iedere keer' en hij zei: 'Zullen we weer wat afspreken?'

'Ja goed,' zei Marte. 'Dan gaan we naar Rataplan!'

Toen ze die nacht naar bed gingen, zei Thérèse: 'Hé, er zit bloed op je knie.' Emile keek – een paar geronnen donkerrode straaltjes liepen omlaag vanaf de plek waar hij zich gestoten had. Hij zei dat hij op straat niet had opgelet en tegen een vuilnisbak was gelopen.

'Dichters...' zei Thérèse. Ze maakte de wond

schoon en plakte er een pleister op.

In bed dacht hij aan de hand die Marte hem gegeven had – een kort, geestig handdrukje.

Het was een zomer met nieuw gedrag, nieuwe kleren, nieuwe muziek, magische gebeurtenissen, politiemensen die met knuppels sloegen, cafés waar studenten, boeven, acteurs en buurtbewoners door elkaar krioelden, feesten met toversigaretten en rare suikerklontjes die zo'n feest, terwijl het nog bezig was, veranderden in de herinnering aan een droom.

's Ochtends stond Emile laat op; 's middags werkte hij aan een nieuw of een oud gedicht, trots dat hij dat liet voorgaan boven het gewoel van de stad. Of hij ging verder met zijn vertaling van een Amerikaanse misdaadroman, om geld te verdienen voor zijn vakantie met Thérèse: drie weken naar Noorwegen op zijn motorfiets, aan het eind van de zomer. Zij werkte ook, op de afdeling boekhouden van een groothandel in parfums. Ze had net eindexamen gedaan; na de zomer ging ze Italiaans studeren.

Vier, vijf avonden per week gingen ze de stad in. Ze aten in een studentenrestaurant, gingen naar een film of een café, en soms nog naar een feest. Daarna sliepen ze op haar kamer, of in zijn souterrain.

Emile genoot van het ontzag dat hij om zich heen voelde. Hij hoefde nooit te zeggen wie hij was; hij was 'Emile Binenbaum, de dichter', wiens gedichten in kranten en bladen stonden, wiens foto in de Amsterdamse Tribune had gestaan.

Thuis bij vrienden van Thérèse, die hem dat speciaal hadden gevraagd, had hij op een avond uit zijn werk voorgelezen, voor een publiek van zeker dertig mensen. Meer dan een uur lang had men stil geluisterd – een stilte die niet beleefd of onverschillig was, maar scherp, op hem gericht, de stilte van breinen die in zich op wilden nemen wat in zijn brein was ontstaan. Bij Pasgeboren Girafje had hij zich een beetje vals gevoeld; Thérèse had geen idee waar dat over ging.

Het verhaal dat er bij Publicum een bundel van hem uit zou komen sprak hij niet tegen, al moest het berusten op die keer in een café dat er een dronken man naar hem toe was gekomen die had geroepen dat hij Erik Wilts van Publicum was, en dat Pasgeboren Girafje het meest veelbelovende gedicht was uit de geschiedenis van de veelbelovendheid – Emile moest maar eens langskomen.

Hij was gegaan; alleen al dat die deur, die voor zo veel grote schrijvers en dichters was opengegaan, nu voor hèm openging. Over een bundel was nauwelijks gepraat, maar Wilts had hem een stapel boeken meegegeven, en hij had er die vertaling aan overgehouden.

En Emile genoot van de blikken op Thérèse. Een jonge dichter hoorde een mooie vrouw te hebben, en die had hij. Er was zelfs een café waar ze niet meer naartoe wilde omdat daar altijd meteen een man aan haar kwam plakken die zei dat hij niet meer kon leven als hij niet met haar naar bed mocht. Dat dat een beroemde acteur was die een hoofdrol in een film had gespeeld, kon haar niet schelen.

Soms kwamen ze Reiff tegen. Emile en hij groetten elkaar dan met een verheugdheid waar, voelde hij steeds sterker, niets achter zat. Een eigen afspraak maakten ze nooit. Ook Reiff was na één jaar met zijn studie gestopt, rechten in zijn geval, maar hij was niet net als Emile iets anders gaan studeren. 'Eerst maar eens rijk worden,' had hij een keer gezegd, maar daarvan was nog weinig gebleken. Al had hij wel succes. In hun eerste jaar hadden Emile en hij hetzelfde baantje gehad, als enquêteur voor een marktonderzoekbureau. Al vlug had Emile de doffe ogen van de huisvrouwen aan wie hij zijn vragen over hagelslag en haarwaters moest stellen niet meer kunnen verdragen, maar Reiff was ermee doorgegaan, en kennelijk genoeg in aanzien gestegen om te worden ingeschakeld bij de mooiste enquête die dat bureau ooit te vergeven had gehad: aan boord van vliegende vliegtuigen aan passagiers vragen of ze wel lekker zaten. Hij vloog de hele wereld over. Als je hem dinsdag in een café zag en zaterdag op een feest, dan was de kans groot dat hij tussendoor in Buenos Aires of Tokio was geweest.

Emile had altijd de indruk dat Reiff meer op Thérèse afkwam dan op hem, maar hij maakte zich geen zorgen: Thérèse was niet geïnteresseerd in formuliereninvullers.

En dan was er die zomer dat kind, Marte Jacobs.

Waarom ze er eigenlijk was, wist hij niet goed. Misschien omdat dat 'iedere keer' van haar op de Westertoren anders een verspreking zou zijn geweest. Of omdat hij, als dank voor het gedicht waartoe ze hem had geïnspireerd, moest zorgen dat ze toch nog een leuke zomer had, nu haar vakantiekamp niet doorging. Of omdat iemand met wie je had gevoetbald en naar wie je tussen Grieks en Duits had uitgekeken, er ook verder bij hoorde.

Of misschien kwam het door hun manier van afspreken. Toen ze bij de Westertoren afscheid namen was er, net als bij de bioscoop, geen tijd meer geweest om een echte afspraak te verzinnen, en net als toen had Marte voorgesteld om elkaar op de plek van het afscheid weer te zien. Zo was het verdergegaan – ieder afscheid was meteen ook een nieuwe afspraak.

Maar Emile vermoedde dat deze manier van afspreken niet bij gebrek aan beter was ontstaan, en dat Marte dat al eerder had bedacht. Misschien véél eerder, al na het voetballen, of zelfs nog daarvoor; misschien was het een plannetje dat ze als klein kind in bed had liggen bedenken – dat het leuk zou zijn om door de stad te zwerven en iedere keer verder te gaan waar je de vorige keer gebleven was, met iemand aan wie je dan een droom vertelde, en die jou een droom vertelde.

Dat hij, iemand die ze nauwelijks kende, dan degene was voor wie ze dat plannetje had bewaard, vond Emile een verdrietig idee.

Wat het ook was: haar iedere keer werd een afspraak om de paar dagen, 's middags op de plek van het laatste afscheid. Vaak had ze dan iets lekkers bij zich, kersen, appels, of iets anders dat ze goedkoop kon krijgen in de groentewinkel waar ze 's ochtends een baantje had. Ze wilde niet zeggen waar die winkel was, want dan zou hij langskomen, en zou ze haar lachen niet kunnen houden.

En dan vervolgden ze hun kronkeltocht, zoals Emile het voor zichzelf ging noemen. Op goed geluk liepen ze door buurten en straten, langs kanalen, over marktjes en door parken waar ze nooit eerder waren geweest. Ze dronken wat bij een uitspanning of op een terrasje – hij meestal bier, zij altijd chocomel, en ze betaalden om de beurt.

Ze praatten over wat ze onderweg zagen, over zichzelf, over van alles. Ze vroeg niet naar zijn vriendin, hij vroeg niet of zij een vriendje had. En als ze zwegen, dan was dat niet meer het ontbreken van een gesprek.

Nu konden er geen voorbijgangers meer tussen ze door; soms raakten hun bungelende armen elkaar en af en toe had Emile het gevoel dat zij zich moest bedwingen om hem geen arm te geven, of kwam het bij hem op om dat zelf te doen. Het werd mooi weer – die voorbijgangers kregen blote armen, blote benen; Marte ging bloesjes dragen met een knoopje los, rokjes en zomerjurkjes – altijd een beetje ouderwetse, kinderlijke rokjes en jurkjes. Soms had ze haar paperclipketting om. Die had ze zelf bedacht.

Vaak zag Emile blikken op hen gericht – ze waren natuurlijk ook een vreemd stel. Hij leek ouder dan hij was, zij jonger; ze zouden voor vijfentwintig en twaalf kunnen doorgaan. Wat moest die man met dat kind? Was het een zusje? – maar welke man van die leeftijd liep er zo gezellig, zo doelloos, zo elkaar bijna-aanrakend met zijn zusje door de stad?

Het pasgeboren girafje bestond niet meer, en ze was misschien een beetje onhandig, alsof haar puberlichaam nog te groot was om al door haar te worden bestuurd – en toch begon hij ook weer lichtheid en sierlijkheid in haar bewegingen te zien. Als ze ernstig keek, dan was er iets in haar gezicht waarvan je later zou kunnen zeggen, als je een foto zag: kijk, hier is ze veertien. Ze was toen nog niet mooi. Maar je kon al zien dat ze mooi zou wòrden.

Als je om je heen keek, dan was de stad vol van meisjes van veertien die iets probeerden te lijken – zij wàs iets. Soms uitgelaten, soms ernstig, soms haast somber. Op den duur vaker uitgelaten, en minder vaak somber. Haar wijze glimlachje kon wegzakken tot een starende, haast ongelukkige blik, die dan weer plotseling oplichtte tot een vrije feestelijke lach.

Vaak wist Emile niet of ze iets echt meende, of dat ze hem op een ingewikkelde manier voor de gek hield. Ze begreep niet, zei ze een keer toen ze door een park liepen, dat je in één stap stil kon staan als je liep, maar niet als je rende. Daar had ze experimenten mee gedaan, en die liet ze hem nu zien. In één stap stond ze stokstijf. Daarna rende ze een eind weg, stak een vinger omhoog ten teken dat ze het ging proberen, rende weer naar hem toe, hield ineens in, molenwiekte met haar armen, struikelde verder, viel bijna, en kwam in een rare voorovergebogen houding tot stilstand. Hoe kon het nu toch dat dat niet lukte? Haast slap van de lach, terwijl zij ernstig luisterde, legde Emile uit dat dat kwam door de wet van de traagheid; de neiging van lichamen om in de toestand te blijven waarin ze zijn. Daar moest zij dan weer om lachen – dat de dwang tot verder hollen veroorzaakt werd door iets dat traagheid werd genoemd.

Ze had een heldere, geestige stem – waarmee ze hem soms schokte door vanuit het niets iets te zeggen als: 'Emile, als je kon zorgen dat iedereen gelukkig was, voor altijd, maar jij moest dan in een donkere kamer zitten waar je nooit meer uitkon, zou je dat dan doen?'

'Nee,' zei hij meteen, en zij leek opgelucht; zij zou het ook niet doen.

Bij een armoedig buurtfeest op een pleintje in een verre wijk verbaasde ze hem door bij de poppenkastvoorstelling te willen blijven kijken, en terwijl hij dan ook maar keek dacht Emile: ik ben gek dat ik naar die poppen kijk, ik moet naar haar kijken, naar dat bijzondere meisje. Want dat is ze wel. Wat is dit eigenlijk voor haar? Zou ze verliefd op me zijn? Dat zou best kunnen. Dan maak ik een kind mee dat dat voor het eerst meemaakt. Of heeft ze toch een vriendje? Dat kan haast niet. Misschien kijkt ze naar die poppen om indruk op me te maken, me wijs te maken dat zij iets in die waardeloze voorstelling ziet dat ik niet zie.

Ze begon een keer te zingen, zomaar, terwijl ze bij een recreatieplas over een reling hingen en naar de bootjes en kano's keken. Echt zingen was het niet – met haar mond open en een starende blik waarin toch ook spot was, bracht ze klanken voort, losse klanken zonder melodie, alsof iemand haar stem stemde. Het ging minutenlang door; ze leek hem vergeten. Emile durfde niets te zeggen, zich niet te verroeren, uit angst dat het op zou houden. De rillingen liepen hem over de rug. Het vertrouwen dat uit dit vergeten sprak! Te bedenken dat ze later een man zou hebben die hier niet bij was geweest – de eenzaamheid daarvan!

De gruwelijke echtheid van dat kind!

Hij had Marte van het bestaan van Thérèse verteld, maar hij vertelde Thérèse niet over Marte. Ze zou niet uit te leggen zijn.

Waarom hij Marte over Thérèse had verteld, meteen al op de Westertoren, wist hij eigenlijk niet. Om haar gerust te stellen dat hij haar niet ineens zou kussen? Om haar te waarschuwen dat hij dat niet zou doen – haar die teleurstelling te besparen? Of had hij het gedaan om zichzelf de pas af te snijden en die blunder onmogelijk te maken?

Was het een blunder?

De vrees dat hij met haar gezien zou worden,

verdween. De eerste paar keer had hij, bij alle lukraakheid van hun kronkeltocht, toch geprobeerd die naar buitenwijken te leiden. Maar nu liepen ze ook door drukke straten en langs grachten, door het Vondelpark, zaten ze op een terrasje waar hij vaker had gezeten. Hij zag nooit iemand die hij kende, hij hoorde nooit dat ze gezien waren. En op den duur was het alsof ze niet gezien kònden worden, en het Amsterdam van hun kronkeltocht een schaduwstad was, onzichtbaar en onbereikbaar voor de bewoners van het gewone Amsterdam.

Marte had na de Westertoren lang niets meer gezegd over haar moeder, die idioot jonge moeder, haar nare oma, haar vader, haar vele verhuizingen. En toen ze daar ten slotte toch over begon, moest hij haar eerst één ding beloven: dat hij haar niet zielig zou vinden.

Toen ze klein was had ze zelf gedacht dat haar moeder haar zusje was. Een beetje een raar zusje, dat er af en toe een tijd niet was. Dan was ze of bij een nieuwe man, had ze later begrepen, of in een inrichting. Omdat ze in de war was, overspannen, zenuwziek – naarmate Marte ouder werd veranderden de woorden, of misschien ook haar moeders soort in de war zijn. 'Als je iemand zielig wilt vinden, vind haar dan maar zielig. Ze is aardig. Mijn oma is niet aardig. Mijn moeder is een aardige labiele nymfomane seksbom. Ze houdt echt van die mannen. En ze houdt van mij. Maar ik ben zó anders, soms denk ik dat ze niet echt mijn moeder is. Misschien heeft ze me geadopteerd.'

'Toen ze zestien was? Ik denk niet dat dat mag, op je zestiende.'

'Misschien hebben ze een uitzondering voor haar gemaakt. Omdat ze het zo graag wilde.'

Haar vader was waarschijnlijk iemand die niet eens wist dat zij bestond. Haar moeder wilde nooit over hem praten, misschien omdat ze toen met te veel jongens naar bed was geweest om te weten wie het was. In fotoalbums zag je haar moeder op-groeien, en ineens was er ook een baby, zij, zonder dat daar foto's van een jongen of man aan vooraf waren gegaan. Jacobs was de achternaam van haar moeder. En van haar oma, en van de vader van haar oma, want het ongetrouwde moederschap ging in haar familie al twee generaties terug. Ze had ook wel eens de naam van een stiefvader moeten aan-nemen; in Rotterdam was ze Marte Barsingerhorn geweest. Maar het werd altijd weer Marte Jacobs.

'Ze houdt echt van ze. Ze wil ook altijd bevriend blijven. Maar dat vindt de volgende niet leuk, en dan raakt ze weer overspannen. Als ik ooit een lief-de heb en het is afgelopen, dan wil ik elkaar niet meer zien. Om eer te bewijzen aan wat het was.'

'Alles of niets.'

'Een beetje wel, ja.' Ze moesten allebei lachen.

Vervelend was ook dat haar moeder een neus had voor mannen van buiten Amsterdam. Dan ver-huisde ze weer, en dan moest *zij* weer kiezen: Am-sterdam maar dan ook haar oma, of haar moeder maar dan ook een nieuwe stad met een nieuwe school waar ze weer het nieuwe kind in de klas zou zijn. Nu was er weer een man uit Arnhem. Best een aardige man, maar wéér verhuizen en een liefde zien afglijden, haar moeder zielig zien worden, daar had ze geen zin in.

Alleen: nu had haar oma ook een nieuwe vriend. Die was er vaak, en daar was het huis eigenlijk te klein voor. Daarom had ze naar die kamer gevraagd. Dat had ze nog niet thuis durven zeggen. Soms was er sprake van een pleeggezin, of een tehuis.

Over haar vader wist ze twee dingen: ze had zijn ogen, en hij leefde nog.

Dat van die ogen wist ze doordat er twee soorten kinderen bestonden: mengkinderen en deelkinderen. Bij mengkinderen was alles een gemiddelde tussen hun ouders: mond, oren, tenen, lengte – alles leek een beetje op de een en een beetje op de ander. Deelkinderen waren samengesteld uit onderdelen van de een en van de ander. Alles leek precies op de vader, of precies op de moeder. Zij had *precies* de oren en de tenen van haar moeder, dus was zij een deelkind. Maar haar ogen leken totaal niet op die van haar moeder.

Dat waren dus de ogen van haar vader.

Dat haar vader nog leefde wist ze door een spiritistische seance die ze een keer met een paar vriendinnen had gedaan, waarbij ze vragen aan de doden hadden gesteld. Niet dat ze daarin geloofde. Maar met een draaibare wijzer waar je een klap tegen moest geven en die dan naar letters wees, kreeg je antwoord. Goed spellen konden de doden niet, maar iedereen die ze hadden geprobeerd, had iets teruggezegd. Behalve haar vader. Dus die leefde nog.

En ze keek hem aan met haar stralende, prachtige, grijsblauwe ogen, en hij dacht: nu neemt ze me toch echt in de maling.

Als hij maar niet dacht dat het niet-hebben van een vader een groot verdriet voor haar was. Niet omdat het niet erg was, maar omdat ze waarschijnlijk niet zo'n goede verdrietvoelster was. Verdriet hing niet alleen af van wat je meemaakte, maar ook van je talent voor verdriet voelen. Niet iedereen had dat; sommige mensen kwamen hun hele leven niet verder dan kleine verdrietjes, wat ze ook meemaakten. Daar had ze wel eens over nagedacht. Als er verschillen in verdriet bestonden, dan moest er een grootste verdriet zijn dat ooit gevoeld was. Dat kon om iets heel kleins zijn geweest, bijvoorbeeld het verlies van een knikker, door een kind dat geniaal was in verdriet voelen. Zoals een groot kunstenaar meer met een potloodstompje kon dan zij met de duurste penselen en de duurste verf zou kunnen.

Het was een gek idee dat ze haar vader gezien kon hebben zonder te weten dat hij het was. Of hij haar. Misschien hadden ze toen wel even naar elkaar gekeken. Maar ze verlangde er niet naar hem te ontmoeten, of te weten wie hij was. Hij was niet belangrijk – niet belangrijker dan het toevallige tijdstip waarop zijn zaad in haar moeder was terechtgekomen. Ander moment, andere Marte. Andere plooi in het laken, andere Marte. Ander eten, andere Marte. Haar moeder was belangrijk. Haar stiefvaders waren belangrijk, haar oma, haar vriendinnen. Die hadden haar gevormd.

'Jij bent belangrijk.'

En iedere keer nam hij een droom voor haar mee.

Als hij ging slapen, alleen of met Thérèse, dan voelde hij zich een holenmens die door zijn vrouw op jacht wordt gestuurd – maar het was Marte die hem op dromenjacht stuurde.

Bij hun tweede afspraak, toen ze elkaar bij de Westertoren weer zagen, had ze hem een mooi schrift gegeven om zijn dromen in op te schrijven. Wat ze had gezegd was waar: vanaf het moment dat hij dat deed, droomde hij méér, en werden die dromen mooier. Ze kwam er nooit echt in voor, maar de dromenjacht wel. Aan de chauffeur van een grote tafelpoot, die tegelijk een taxi was, vroeg hij hoe die heette, 'want dat moet ik voor Marte weten'. Een telefooncel was bezet – maar hoe kon het een goede droom voor Marte worden als hij niet kon bellen? En hij keek nog eens, en de telefooncel was vrij.

Ze moest vaak om zijn dromen lachen. Ze vond hem een goede dromer.

Háár dromen bevreemdden hem, ook door de luchtigheid waarmee ze ze vertelde: ze werd bedreigd, aangevallen, opgesloten, een keer onthoofd. Dat viel haar ook wel op, maar het kon haar niet schelen: in het gewone leven voelde ze zich niet bedreigd.

In één droom stond ze op een grote donkere zolder in een rij van mensen die wachtten tot ze ergens naar binnen mochten. De rij was zo lang dat
ze de ingang niet kon zien, en ze wist ook niet
waarvóór men in de rij stond. Ze vroeg het – voor
de dood, kreeg ze te horen. In alfabetische volgor-
de; ze stond hier bij de J. Dat bracht haar op het
idee om te zeggen dat er een vergissing gemaakt
was, en dat ze geen Jacobs heette, maar Acobs. En
ze begon al naar voren te lopen, naar de A.

Daar hield de droom op.

'Eigenlijk gek, dat je het alfabet kent in je
droom,' zei ze.

'Gek dat je het alfabet kent?'

'In dromen is toch alles anders? Je vaart in een
boot over straat, je ontmoet drie exemplaren van
één persoon tegelijk, een tafelpoot is ook een taxi.
Maar het alfabet is gewoon van A tot Z.'

'Voordringen voor de dood. Dàt is gek. Griezelig.'

'Het was helemaal niet griezelig. Dat voordringen was leuk. Iedereen trapte erin. Ik vond het geniaal van mezelf dat ik een manier van voordringen
had bedacht waar nog nooit iemand was opgekomen. Meteen toen ik wakker werd dacht ik: dat
moet ik aan Emile vertellen. Die zal me vast ook
geniaal vinden.'

'Je bent geniaal. Maar ik droom zoiets niet.'

'Nee, als jij mensen gaat wijsmaken dat je Inenbaum heet, dan moet je juist naar achteren.' Ze
moest ontzettend lachen. 'Emile Inenbaum! Mag

ik mij even voorstellen, de naam is Inenbaum.' Ze kwam haast niet meer bij, lachend met haar heldere, vrolijke lach waarin geen greintje bedreigdheid of zieligheid was.

Soms, als hij op een feest of in een café rondkeek en al die prachtige vrouwen zag, dan stelde hij zich voor dat hij daar niet met Thérèse was, maar met Marte. Echt iets voor een dichter, zou men denken, om een kind mee te nemen. Een boerinnetje met een wipneus en punttietjes. Zou hij dat kind nou nog neuken ook? En dan keek hij met Martes ogen terug, en zag de onechtheid, de maniertjes, het aanstellerige van de quasiverdorvenheid van al dat drinken, roken, geestverruimen, het zielige van die dure metallic slangenleren jasjes.

Maar wat zou het gezellig zijn. Hij zou haar alles over iedereen vertellen, en ze zouden er samen om lachen. Als hij het zich voorstelde, dan voelde hij een erectie opkomen – een erectie waar niets van klopte, want die had niets te maken met een wens tot binnendringen, en alles met een wens om te omvatten, een warmte rondom Marte te doen ontstaan waarin zij zich prettig zou voelen. En als ze van dat feest of dat café naar huis gingen, dan gingen ze samen naar bed. En wat al die mensen van dat café of dat feest nooit zouden kunnen bedenken: daar lagen ze naast elkaar en lazen allebei een boek. Af en toe keken ze opzij, en glimlachten even naar elkaar.

En dan lazen ze weer verder.

Emile had gevraagd of hij haar tekeningen mocht zien, maar dat wilde ze niet. Die waren niet goed genoeg. Dat hondje was alleen maar leuk geweest omdat ze toen nog zo jong was. Later misschien, als ze echt kon tekenen. Ze wilde naar een academie, tekenlerares worden. Om van haar eigen werk te kunnen leven had ze niet genoeg talent.

Maar op een dag had ze een oude canvas tas bij zich. Daar zaten haar tekenspullen in – ze wilde zijn portret tekenen. Als hij dat goedvond, tenminste. En als hij het goedvond dat ze het alleen liet zien als ze zelf vond dat het gelukt was.

Op zoek naar een goede plek om het portret te maken, namen ze een tram naar de havens aan de oostkant van de stad. Na de eindhalte liepen ze nog een heel stuk verder, voorbij de laatste woonhuizen, langs pakhuizen, grote parkeerplaatsen met vrachtwagens, opslagplaatsen vol schroot. Daarbovenuit staken hijskranen, boegen en stoompijpen van oceaanschepen, en het rook er zoet naar teer en menie – Martes lievelingsgeur.

Ze kwamen terecht aan de rand van een enorm terrein waar ontelbare spoorrails naast elkaar liepen; een uitgestrekt spoorwegemplacement met overal oude, roestende wagons, locomotieven, hele treinen. Er waren geen hekken of verbodsborden; je kon zomaar over die rails lopen, in die wagons en treinen gaan. Zij waren daar de enigen, alsof ze dwergjes waren en die treinen speelgoedtreintjes die speciaal voor hen klaarstonden om mee te spelen.

Ze balanceerden over de rails, probeerden een kleine, platte goederenwagon te duwen wat zowaar een eindje lukte, klommen op locomotieven, zorgden er in een passagierstrein voor dat er op sommige banken toch nog niet voor het allerlaatst gezeten was. Ze vonden er vergeelde, knisperig geworden kranten waarin je nieuws uit vroegere eeuwen zou verwachten maar die soms nog geen halfjaar oud waren.

Daarna liep Marte keurend rond over het terrein, kijkend hoe licht en schaduw vielen, op zoek naar de beste opstelling voor het portret. Ze koos een losse veewagen waarvan de schotten opengeschoven stonden, en waarin het nog vaag naar paarden rook. Ze gingen tegenover elkaar zitten, ieder leunend tegen een zijkant van de opening.

Ze haalde haar schetsboek en haar tekendoos uit haar tas. 'Ik ben wel zenuwachtig,' zei ze.

'Ik ook,' zei Emile.

Ze zat met opgetrokken knieën, het schetsboek daarop, en afwisselend keek ze naar het papier en naar hem. De eerste paar keer met een verlegen lachje, maar al vlug leek ze hem vergeten, en zag hij in haar korte blikken geen besef meer dat *hij* het was.

Hij probeerde stil te zitten, zelfs zijn ogen zo weinig mogelijk te draaien. Achter haar waren de treinen, de schepen, de hijskranen die voorzichtig bewogen als de armen van reuzen die met een secuur werkje bezig waren – en dan keek hij weer naar haar, en dacht: zal ik al weten dat ik verliefd op haar ben? Of zal ik daarmee nog wachten.

Maar hij dacht ook: Emile! Kom nu toch. Verliefd! Ze is een kind, ze heeft nog nooit een jongen gekust, ze heeft geen armen maar stokjes, ze heeft niets van die romigheid zoals Thérèse die heeft, en die een vrouw moet hebben om een man te kunnen ontvangen. Dit is een vriendschap. Een vriendschap van een soort die ik niet eerder heb meegemaakt, maar: een vriendschap. Wat win ik ermee als ik haar kus? Genot? Waarschijnlijk kan ze het niet eens. Het genot daarvan? Dat is een onbehoorlijk genot. Dit is een vriendschap, hoe vaak moet ik het mezelf nog zeggen. En een vriendschap hoeft zich niet te ontwikkelen, maar een kus is een begin. Van iets dat nog minder moet gebeuren dan die kus zelf.

Hoe zou het zijn? Hij zou het kind uit haar wegkussen, haar tot vrouw neuken. Maar waar stond het bed waarin dat gebeurde? Niet in zijn souterrain, Thérèse had de sleutel. En mocht de Eerste Keer van een meisje als Marte het bedrog van de ander zijn? Hij kon het toch niet gaan uitmaken met Thérèse om *misschien* met een schoolkind naar bed te gaan? En als hij zich nu toch eens vergiste? Met een moeder als de hare was seks misschien het laatste waar ze aan moest denken. Alles zou bedorven zijn, de kronkeltocht zou vals zijn geweest, een doel hebben gehad.

Ze was te jong. Het mocht niet. Dit was een eeuwig moment, juist omdat er niets gebeurde. Later waren ze een beroemde dichter en een beroemde tekenares. Door iets wat hij of zij in een interview had gezegd, werd dit bekend. Wist je dat, dat Emile Binenbaum en Marte Jacobs elkaar goed gekend hebben toen ze heel jong waren? Hij was eenentwintig en zij veertien. Toen zijn ze een zomer lang met elkaar omgegaan. Ze liepen rond door de stad, maar ze gingen niet met elkaar naar bed. Ze waren vrienden, van een heel bijzonder soort. Zoals ze het allebei daarna nooit meer hebben meegemaakt.

Er zou geschreven worden over deze zomer, men zou willen weten waar ze gelopen hadden, de bankjes willen aanwijzen waar ze gezeten hadden, het spoorwegemplacement willen zien. En iedere keer zou het portret erbij staan. Emile Binenbaum op eenentwintigjarige leeftijd, getekend door de veertienjarige Marte Jacobs. Men zou willen weten hoe het geweest was, die middag, hoe het gevoeld had om tegen die weggeschoven schotten te zitten, hoe het in die wagon geroken had. Men zou door willen dringen in dat moment, erbij geweest willen zijn.

En zij maakten het mee.

Het was nog aan het gebeuren.

In die zomer leerde Emile ook een wat oudere jongen kennen, een dertiger al, en een fenomeen: een nerveuze, goedlachse, dikke reus die Falstaff werd genoemd naar de rol waarin hij ooit als acteur furore had gemaakt. Maar zijn werkelijke talent lag op een ander vlak, zo was gebleken. Alles kon in Amsterdam die zomer, het bruiste van de ideeën, het was het magisch centrum van de wereld. Maar er was ook iemand nodig om die ideeën werkelijkheid te laten worden, en dat was Falstaff. Hij had pop-concerten georganiseerd, tentoonstellingen, een toneelvoorstelling tegen de Amerikaanse oorlog in Vietnam, happenings waarbij geen verschil meer was tussen spelers en publiek, politieke avonden die hij teach-ins noemde. Maar vooral: hij had de beschikking gekregen over een reusachtig pak-huis aan een gracht, dat hij had laten verbouwen en het Walhalla had genoemd. Wat hij daar ook deed, het trok volle zalen. En nu was hij een dich-tersnacht van plan. Het zou Dertiendrie heten; dertien dichters zouden ieder drie gedichten voor-lezen. Een paar oudere grootheden, Alain Wer-meskerken voorop, maar natuurlijk ook, en voor-al: jonge dichters.

Op een feest kwam Falstaff naar Emile toe om hem dit alles te vertellen, en te vragen of hij mee wilde doen. Of eigenlijk: om te zeggen dat hij mee *moest* doen. 'Je moet ja zeggen. Zonder jou kan ik niet waarmaken dat de nieuwe generatie er is. Laat me niet afgaan.'

Dertiendrie was op een dag dat Emile en Thérè-se al in Noorwegen hadden zullen zijn. Maar dit was tien stappen vooruit tegelijk. Honderden men-sen zouden met zijn werk kennismaken. Zijn naam zou in folders, op aanplakbiljetten, in kranten staan, in één adem genoemd worden met die van Wer-meskerken, van andere dichters die prijzen hadden

81

gewonnen, in bloemlezingen stonden, wier werk bij hem in de klas behandeld was. Hij zou hun handen schudden, zijn woorden zouden in dezelfde ruimte zweven als de hunne.

Hij zou dichter onder de dichters zijn.

Hij kreeg er nog voor betaald ook.

Dit was wel wat anders dan dat avondje bij die vrienden van Thérèse. Een weeë onzekerheid gonsde door zijn borst als hij eraan dacht. Als die mensen op dat avondje nu toch eens alleen maar aardig en beleefd waren geweest? Als zijn gedichten niets voorstelden en het Walhalla hem dat zou laten merken?

Maar het moest. En zijn gedichten stelden wel iets voor.

Thérèse vond het redelijk om een paar dagen later naar Noorwegen te gaan.

Er was één probleem: Marte. Zij zou ook willen komen. Maar hij kon haar daar niet hebben.

Het was een dichters*nacht*, het begon pas om tien uur, maar kon hij erop vertrouwen dat haar oma haar zou verbieden erheen te gaan? Marte en Thérèse in één ruimte, de een wetend, de ander onwetend, op zó'n avond... hij zou alleen daaraan kunnen denken, zich niet kunnen concentreren, het zou een afgang worden. Bovendien: hij had Marte over Thérèse verteld, maar niet dat hij Thérèse niet over háár had verteld. Als ze dacht dat hij dat gewoon gedaan had, dan kwam ze misschien naar hem en Thérèse toe, om te zeggen dat zij nou Marte was. En ook als ze voelde dat ze dat beter niet kon doen – hij zou haar niet kunnen negeren. Hij zou haar moeten begroeten als hij haar zag, op z'n minst met een gebaar of een knikje uit de verte, en Thérèse zou het zien en vragen wie dat kind was.

Hij zou ontmaskerd zijn als een bedrieger.

En zelfs als dat allemaal goed ging en Thérèse merkte niets, hoe kon hij dan Pasgeboren Girafje voorlezen? En dat moest hij voorlezen, want het was zijn bekendste gedicht, zeker een van zijn drie beste, misschien de hele reden voor de uitnodiging.

Met Marte erbij zou hij niet uit zijn woorden kunnen komen, al had hij ze voor zich op papier. Ze zou horen dat het over haar ging. En dat was nu juist het geheim. De hele zomer lang hadden ze allebei niets over het gedicht gezegd. In de bioscoop had hij het even overwogen – toen had het nog gekund, of zelfs nog op de Westertoren, luchtig, als een grapje. Hé, dat is waar ook, dat gedicht toen in de schoolkrant, Pasgeboren Girafje, weet je nog? Dat ging ook wel een beetje over jou, over die keer dat we gevoetbald hebben, in Schoorl. Had ik je dat eigenlijk al eens verteld? Toen deed je me even denken aan een pasgeboren girafje.

Nu kon het niet meer, zou het iets zijn wat hij had verzwegen, iets zwaars. Hij zou zeggen: ik heb mijn ziel gelegd in een gedicht over jou, dat gedicht in de schoolkrant. Toen je twaalf was. Over toen je negen was.

Het zou haar bruuskeren.

Wat moest hij doen? Pasgeboren Girafje *niet* voorlezen? Een gebaar zou dat wel zijn – hij, de debutant, zou zeggen: ik heb mijn succesnummer niet nodig.

Hoe dan ook: Dertiendrie voor Marte verborgen houden, dat ging niet – alles van het Walhalla gonsde meteen door de stad, sprong je vanaf aanplakbiljetten in het oog, stond in de krant, was op radio en televisie. En bij de eerste gelegenheid vertelde Emile haar over de uitnodiging.

Ze had er al over gelezen, ze vond het geweldig voor hem.

Hij zou proberen een vrijkaartje voor haar te regelen, zij zou aan haar oma vragen of het mocht. Ze zei niet: en je vriendin dan? Die zal toch ook wel komen?

De volgende keer vertelde ze dat haar oma nee had gezegd.

Bij hun voorlaatste afspraak vóór Dertiendrie en Emiles vertrek naar Noorwegen, stapte Marte uit de tram alsof alles aan haar was uitgedoofd.

'Nú mag je me zielig vinden,' zei ze.

Haar moeder was echt verhuisd naar Arnhem; haar oma ging naar de Veluwe waar die vriend van haar een caravan had op een camping. En zij moest mee – morgen. Ze mocht niet in Amsterdam blijven, of daar alleen naartoe. Dit was niet de voorlaatste keer, maar de laatste keer vóór Emiles vakantie.

Ze begonnen te lopen. Haar zwijgen was een ander zwijgen dan anders, vol van haar ongelukkigheid. Ze kwamen bij de Amstel, dronken wat op een terrasje aan het water – zij geen chocomel maar bier, voor het eerst. Ze vond het vies, maar ze dronk toch haar glas leeg. Emile vroeg zich af of hij strafbaar was dat hij een kind van veertien alcohol liet drinken.

Ze lieten de rivier achter zich en in een stil park met vijvers, een rozentuintje, waterlelies, jonge zwaantjes, gingen ze zitten op een bankje aan de rand van een groot grasveld. Ver weg speelde een man met een hond. Ook Emile wist niets te zeggen; alle opbeurende opmerkingen had zij allang zelf bedacht.

Hij zou haar missen. En zij zou hèm missen. Dat kwam er voor haar nog bij, in die caravan op de Veluwe met mensen bij wie ze niet wilde zijn: hem in de open natuur van Noorwegen te weten, met zijn vriendin.

Ze had een plukje gras uit de grond getrokken en verfrommelde sprietjes, gooide de groene bolletjes één voor één weg. In het begin loom en langzaam, maar op den duur toch met beweginkjes waar iets nijdigs en geks in kwam, als van een dirigent in een komische film.

Het is echt een Zomer geweest, dacht Emile. Een Zomer waar je later met een hoofdletter aan terugdenkt. De Zomer met Marte. De keer die ze al hadden afgesproken na Noorwegen, zou daar niet meer bij horen. Dit was een Laatste Keer, de laatste keer van haar Iedere Keer.

Stofjes hingen stil in schuine banen zonlicht, kleine onscherpe schaduwen trilden over haar blote armen, het dons op haar benen glinsterde weergaloos. Haar grassprietjes waren op, ze had haar handen op de zitting van het bankje laten vallen, ze leunde achterover en keek omhoog.

Het was alsof alle lichtheid, alle zomerschaduw, al het blauw van de hemel, alle dichtbijheid van Marte en hem in een trechter waren gegoten, die bij hun bankje uitmondde. Er was niets anders. En ineens was de drang om te weten hoe dat nu zou zijn, een kus met Marte Jacobs die nog maar veertien was, haast te sterk, alsof die kus al bestond en zelf een wil had, en erom brulde naar ze toe te mogen komen.

Ze had bier gedronken, laten zien dat ze Eerste Dingen wilde. Ze was pas veertien en hij was eenentwintig, maar de literatuur, de wereld, was vol van veel jongere meisjes die met veel oudere mannen naar bed gingen, vaak lokten ze het zelf uit. Die vage blik waarmee ze soms voor zich uit keek, waarmee ze nú voor zich uit keek, was dat niet de blik waarmee zulke meisjes dachten te zeggen dat ze gekust wilden worden? Was hij, als oudste, niet verplicht haar de keus te geven – de nederlaag voor haar over te hebben als hij zich vergiste? En ineens zag hij iets nieuws in het voetballen van Schoorl. De bal was in het struikgewas gekomen en ze waren hem samen gaan zoeken, en hadden daarbij even naar elkaar gekeken. Nu zag hij het: haar blik had niets met het zoeken te maken gehad; ze had beseft een vrouw te zijn.

86

Het was stil in het park. Het was een mooie dag; iedereen zou wel naar het strand zijn, of op vakantie. Alleen die man met die hond was er, aan de andere kant van het grasveld, te ver weg om te kunnen zien dat hier een volwassen man zich vergreep aan een kindmeisje.

Hij zou haar hand pakken en zij zou verbaasd opkijken, grinniken, verlegen door haar neus snuiven. Maar ze zou zijn hand niet loslaten. Hij zou haar naar zich toe trekken, even weerstand voelen – niet de weerstand van niet-willen, maar van verbazing dat dit nu toch nog gebeurde. Dan zou haar hoofd tegen het zijne zijn. Hij zou even wachten, tot zich door laten dringen dat hij eindelijk in de toekomst van het voetbalveldje was. Dan zou hij zijn hoofd terugtrekken, haar aankijken, met zijn vingers door haar haar gaan. Hij zou grinniken, en zij zou teruggrinniken, nu ze moesten toegeven dat ze elkaar maar wat wijs hadden gemaakt met hun kronkeltocht, hun iedere keer. Dit was waar het om gegaan was, al die tijd. Met duim en wijsvinger zou hij het kapotgefrommelde grassprietje pakken dat, zonder dat zij het gemerkt had, op haar bloesje terecht was gekomen, vlak onder haar schouder. Hij zou haar weer naar zich toe trekken en nu kussen, hun eerste kus. Hun lippen raakten elkaar heel licht en kuis, en hij zou merken dat wat hij steeds had gedacht, waar was: het was de eerste kus van haar leven. Hij zou met zijn tong langs haar lippen gaan, die voelen wijken, haar smaak proeven en haar tong voelen, als een zacht, bedeesd slakje. Dan zou hij de kus verbreken en zij zou hem verbaasd aankijken. Wat nu? zou haar blik zeggen, houdt het nu al op? Hij zou van het bankje opstaan, zijn hand naar haar uitstrekken, en zij zou die pakken. Hij zou op het gras gaan zitten, een gebaar maken dat ze daar naast hem moest komen. Dat zou ze doen. Dan zou hij haar weer kussen, haar in zijn armen nemen, met haar gaan liggen. En niemand zou nog kunnen zien dat zij een kind was – ze zou verborgen zijn in wat ze samen waren, een vrijend paar.

Een gezin, met twee kleine kinderen, een mandje en een bal, kwam naderbij. Ze spreidden een laken uit in het gras.

Toen Emile, een uur voor de aanvang van Dertiendrie, met Thérèse het Walhalla binnenkwam, was het daar al vol en rumoerig. De enorme, hoge zaal met het podium waar hij en de andere dichters zouden optreden, ging zonder duidelijke grens over in een soort café waar aan de bar en de tafeltjes nauwelijks nog plaats was. Ook op de stoelen in de zaal zelf waren mensen gaan zitten, glazen in de hand. Hij was al eerder in het Walhalla geweest, maar nu zag hij alles met nieuwe ogen. Hij hoopte dat die bar tijdens het voorlezen gesloten zou zijn – hij had zich een doodstille zaal voorgesteld, als bij een concert, met zijn stem als enige geluid.

Als hij naar het podium keek, naar het spreekgestoelte dat daar onaangedaan wachtte, dan was het alsof hij bij een afgrond stond, met zijn tenen over de rand.

Thérèse had pilletjes tegen de zenuwen gekocht, maar die nam hij niet. Op deze avond moest hij de Emile Binenbaum zijn die hij was.

Hij zag kennissen en vrienden van de cafés en de feesten, bijna de hele huiskamer van het voorlezen, Falstaff zelf schoot een paar keer langs, er waren studiegenoten, zijn ouders, de ouders van Thérèse, Erik Wilts van Publicum. En in al die mensen voelde hij ontzag dat híj straks op dat podium zou staan. Hij besefte heel goed dat maar een klein deel van het publiek voor hem kwam, of zelfs maar voor de andere dichters, of voor de poëzie in het algemeen. Men kwam voor het Walhalla. Het deed er niet toe. Men zou zien dat hij erbij hoorde. Op zijn eenentwintigste.

Reiff was er ook, waarschijnlijk onderweg van de Noordpool naar de Zuidpool. 'Ik kom voor de mooie vrouwen,' zei hij, kijkend naar Thérèse.

Er kwam een meisje naar Emile toe dat hem en Thérèse meenam naar een zaaltje achter het podium. Daar konden de dichters met elkaar kennismaken, gratis drinken, en tussen hun optredens wachten – ze zouden om beurten ieder één gedicht voorlezen. Aan de bar stond Alain Wermeskerken met een kaal mannetje te praten, en Emile voelde haast nog meer ontzag voor dat mannetje, dat daar zo losjes met Wermeskerken mocht omgaan. Misschien was het een van de andere dichters – die kwamen elkaar natuurlijk overal tegen.

Een man als Wermeskerken sprak je niet zomaar aan, maar hier waren ze op een bepaalde manier gelijken, en Emile ging naar hem toe en stelde zich voor, en hoorde Wermeskerken 'Alain Wermeskerken' zeggen.

'Zal ik me dan ook maar voorstellen?' zei het kale mannetje. 'Arno Loos.' Het was Arno Loos, de poëzieredacteur van de Amsterdamse Tribune! Die al verschillende gedichten van hem had geplaatst! Emile verontschuldigde zich, maar Loos lachte het weg en nadat ook Thérèse was voorgesteld, vervolgden Wermeskerken en Loos hun gesprek.

Het meisje dat ze had gebracht haalde drankjes voor Thérèse en hem, en zei dat hij als eerste zou optreden. Emile voelde een koude vlam; daar had hij geen moment aan gedacht. Was dat een eer of juist niet? Waarschijnlijk wel, maar nu zou hij niet, zoals hij van plan was geweest, in de coulissen kunnen wachten tot hij aan de beurt was, om te kijken hoe de anderen het deden. Hij wist niet eens of je moest voorlezen, of zonder papier voordragen. Voor de zekerheid had hij zijn drie gedichten uit het hoofd geleerd. Hij vroeg het aan het meisje, maar zij wist het ook niet. 'Gewoon wat je het best lijkt,' zei ze.

Waarschijnlijk stonden er deuren open naar de zaal, en liep het daar nu vol; via het podium of de gangen waarlangs hij gekomen was, drong een aanzwellend rumoer tot hem door. En daar gingen Thérèse en de andere vrouwen en vriendinnen en aanhang al weg, naar hun gereserveerde plaatsen in de zaal. Het begon. Thérèse kuste hem en zei dat ze wist dat hij het goed zou doen.

Ineens was Falstaff er weer; hij zou de avond ook presenteren, en nu kwam hij Emile halen voor het eerste optreden. Achter hem aan liep Emile door een doolhof van gangen, de drie gedichten die hij had uitgekozen in elkaar opgevouwen in zijn hand, Pasgeboren Girafje bovenop. In zijn achterbroekzak had hij voor de zekerheid reservekopieën, een idee van Thérèse. Falstaff zei niets over de velletjes in zijn hand – voorlezen mocht dus.

Ze kwamen in de donkerte van het podium, waar alleen gordijnen tussen hem en het publiek waren. Het was alsof hij midden in het rumoer stond.

'Jij moet ze veroveren,' zei Falstaff. 'Daarom heb ik jou als eerste gezet. Maar dat lukt je wel.' En hij liet Emile alleen en liep verder, naar de strook van licht bij de opening tussen de gordijnen.

Een geweldig kabaal loeide op – applaus, gefluit, geroep. Dertiendrie was begonnen. Emile voelde een bruisen in zijn hart, iets dat angst en gelukzaligheid tegelijk was – dit was de beslissende wending in zijn leven, het moment waarop een andere keus voorgoed onmogelijk was.

Hij was dichter.

De velletjes die hij nu in zijn hand had zou hij altijd bewaren.

Van waar hij stond kon hij één uiteinde zien van de voorste rij. En daar zaten mensen! Dan zat het bomvol. Het was niet eens te horen of Falstaff al praatte. Er klonken kreten die Emile niet kon verstaan, gelach. Wat moest hij doen als dat gewoon doorging terwijl hij voorlas?

Wat zou Wermeskerken dan doen?

Ineens zag Emile in het zware zwarte gordijn, één stap van waar hij stond, een helder rondje – een kijkgat. Hij ging ernaartoe en keek – en zag de volle zaal. Het was ongelooflijk, iedere stoel was bezet. Op de voorste rij zat Thérèse, gespannen wachtend, het programma opgerold in haar vuist. Langs de zijwanden *stonden* mensen, op het middenpad zaten ze op de grond, ergens zag hij Reiff. Ook helemaal achterin stonden mensen, geleund tegen de muren. En daar vlak voor, op een stoel op een van de achterste rijen, tussen de gewone toeschouwers in, zat een kind – Marte.

Ze zat rechtop en keek stil naar het podium.

Emile stond als verlamd.

Alles was ineens anders. Wat moest hij doen? Ieder moment kon Falstaff hem naar voren roepen. Maar nu kon hij Pasgeboren Girafje niet meer voorlezen. Hij kon niet, met een volle zaal erbij, tegen Marte zeggen wat hij de hele zomer niet had gezegd. En hij kon het niet voorlezen zònder dat te zeggen. Marte, jij bent het pasgeboren girafje. Toen je negen was vond ik je zo mooi dat ik een gedicht over je heb geschreven. Mijn eerste.

Hoeveel tijd had hij nog? Een paar seconden. Welk gedicht moest hij dàn nemen? Waar haalde hij straks een derde gedicht vandaan? En Pasgeboren Girafje zat al klaar in zijn hoofd. Jij moet ze veroveren, had Falstaff gezegd. Met welk ander gedicht zou dat kunnen?

'…vraag ik om naar voren te komen: Emile Binenbaum!' riep Falstaff.

Er klonk gefluit, gejoel, applaus. Emile stapte naar voren, het licht in, de velletjes in zijn hand. 'Emile!' riep iemand snerpend. 'Emile!' riepen ook anderen. Ik weet niet wat ik moet doen, dacht hij. De zaal, nu die zijn blikveld vulde, overweldigde hem. Nog nooit hadden zo veel mensen tegelijk op hem gelet. Pas nu zag hij dat er ook een balkon was, en ook daar zat het vol. Falstaff liep weg van het spreekgestoelte, ze kruisten elkaar in het volle licht. 'Pak ze,' zei hij.

Emile ging achter de lessenaar staan. Ik weet niet wat ik ga doen, dacht hij.

Hij vouwde zijn velletjes open. Pasgeboren Girafje was het bovenste.

'Het eerste gedicht dat ik zal voorlezen,' zei hij, 'is getiteld Pasgeboren Girafje.'

Hij begon te lezen.

Het was alsof met zijn eerste woord het lawaai verdween. Misschien was het er nog, maar hij hoorde het niet meer. Hij was in zijn gedicht, op de savanne, in de voetbalduinpan, achter zijn bureau toen hij het schreef. En dat kwam door Marte. Hij zag haar niet, maar hij sprak tot haar. Alle toeschouwers waren weg, met hun lawaai of hun stilte, alleen zij zat daar. En in ieder woord voelde hij dat zij ook terug was in de duinpan, zichzelf weer omverschopte, over de pluk gras struikelde, de verfrissende regenbuitjes van de savanne voelde, het druppeltjeswaas uit hun waterfles, haar vuist naar hem opstak als ze een doelpunt hadden gemaakt. Hij had zijn velletjes kunnen weggooien, kunnen

vergeten dat het gedicht bestònd – het zou opnieuw uit hem voortgekomen zijn.

En zij voelde dat ook.

Het lawaai was er echt niet meer, merkte hij.
Men luisterde. Men kon niet anders dan luisteren.
Het was een goed gedicht, een ongelooflijk goed
gedicht.

Hij hoorde zijn laatste regel, een kiertje stilte na
zijn knikje naar de zaal, toen was het lawaai er
weer, nog uitbundiger dan eerst, en werd alles be-
dolven onder applaus, geroep, gejuich, gefluit, ge-
stamp.

Hij vouwde zijn velletjes dicht, keek nog even in
de zaal, ving een glimp op van Thérèse, die als
waanzinnig met haar armen zwaaide en iets leek te
roepen, hij zag anderen om haar heen die op hun
vingers floten, en achter in de zaal zat Marte, glimlachend, rechtop, klappend in haar handen.

Hij liep het podium af. 'Schitterend,' zei Falstaff, die hem tegemoet liep om de volgende dichter aan te kondigen, 'dankjewel. Wat een begin.'

'Leuk gedicht, zeg,' zei het meisje dat hem terug-
bracht naar het wachtzaaltje.

Daar zag Emile dat er een geluidsverbinding was
met het podium, zodat je het voorlezen kon volgen. Hij wist niet goed waar hij moest gaan staan,
iedereen keek naar hem. Erik Wilts was nu ook
hier, zag hij, die stapte op hem af en gaf hem een
glas bier.

'Je moet nog maar eens langskomen,' zei hij.

Ook Wermeskerken stond ineens bij hem. 'Een

klein meesterwerkje,' zei hij. 'Jij gaat heel goede gedichten maken.'

En dat was een man van wie beweerd werd dat hij zou worden voorgedragen voor de Nobelprijs!

Toen Emile een halfuur later aan de beurt was voor zijn tweede gedicht, en hij in de donkerte achter het gordijn weer door het kijkgaatje keek, zag hij Marte niet meer.

'Emile,' zei Thérèse aan de oever van een meer waarin de omringende bergen even scherp getekend stonden als de echte in de lucht, 'is er iemand anders?'

Hij moest haast lachen. Het was alsof ze had gevraagd: geloof jij ook dat het water is, waarmee dit meer is gevuld? Nee, er was niemand anders – er was alleen Marte.

Hij trok een zorgelijk gezicht en knikte naar haar buik. 'Ja, misschien is er iemand anders. Daar moet ik inderdaad steeds aan denken. Net als jij.'

'Dat is flauw,' zei ze verdrietig.

Al op de avond van Dertiendrie was Thérèse een paar dagen over tijd geweest, en in Noorwegen werd het met de dag waarschijnlijker dat ze zwanger was. Het sprak voor haar niet vanzelf dat ze het kind dan zou laten wegmaken. Integendeel, ze wist wel zeker dat ze het zou willen krijgen. En Emile wist dat hij haar dan niet in de steek zou laten. Hij zou met haar trouwen, vader zijn, geld moeten verdienen, zijn studie moeten staken, het dichten moeten staken. Alles moeten staken.

Maar hij dacht alleen aan Marte. Iedere nacht sliep hij met Thérèse, iedere dag praatte hij met haar, voelde hij op de motorfiets haar armen om zijn middel en haar lieve borsten tegen zijn rug. Ze was misschien zwanger van hem. Ze was een van de aardigste mensen die hij kende. Maar ze was uit zijn gedachten verdwenen.

Vaak keek hij naar zijn knie, waar nog een laatste verkleurinkje te zien was van de wond van de Westertoren, tot hij moest toegeven dat ook dat er niet meer was. Hij vroeg zich af of Marte wel echt in de zaal had gezeten toen hij Pasgeboren Girafje voorlas; of hij zich dat niet kon hebben verbeeld. Was het niet gek dat ze alleen bij dat gedicht geweest was, hùn gedicht? Ze zou hebben moeten ontsnappen aan haar oma, met de trein naar Amsterdam zijn gegaan en weer terug – pas midden in de nacht zou ze bij de caravan terug geweest zijn. Of helemaal niet, want zou ze de laatste trein wel gehaald hebben? De bus naar de camping? En de straf die ze geriskeerd zou hebben!

Hij wist het nu zeker: het was een vergissing geweest om haar in het park niet te kussen. Dat zou hij goedmaken zodra hij terug was. De eerste keer dat ze elkaar zagen. Als Thérèse zwanger was, dan zei hij die afspraak af. Maar als Thérèse niet zwanger was, dan maakte hij Marte zijn vriendin. Ze was al zijn vriendin. Zijn vrouw. Dat was ze geworden bij Dertiendrie, terwijl hij het gedicht voorlas.

Dat gebroken gezin van haar was nu een voordeel: des te makkelijker zou hij iedereen ervan kunnen overtuigen dat Marte niet meer door het land moest worden rondgesleept, achter de mislukkende liefdes van haar moeder aan, naar de caravans van haar oma. Ze had regelmaat nodig. Eén school, het Amstel. Eén achternaam, Jacobs. Eén adres – zijn adres. Desnoods ging hij dáárvoor werken, om iets te kunnen huren waar Marte haar eigen kamer had. Dàt was de kamer die hij voor haar wist. In het begin zouden ze misschien nog niet eens met elkaar naar bed gaan – daar ging het niet om. In die kamer maakte ze haar huiswerk en tekende ze, terwijl hij in zijn kamer een gedicht schreef. Als ze iets niet begreep, dan vroeg ze het hem en legde hij het uit. Ze mocht op stap gaan als ze daar zin in had en zo laat thuiskomen als ze wilde. Er zou niet eens sprake zijn van 'mogen', of 'te laat thuiskomen' – ze zouden gelijken zijn, ze zou zelf bepalen wat ze deed. Ze zou opbloeien.

En op een nacht werd hij wakker met haar armen om zich heen.

Ze zouden zich niet verstoppen – haar vriendinnen, zijn vrienden waren welkom in hun huis. Ze zouden uitgaan, de bevreemde blikken trotseren, bestand zijn tegen alle schamperheid. Dat rare 'eenentwintig en veertien', dat duurde maar even. Zestien en drieëntwintig zou al bijna normaal zijn; als ze achttien en vijfentwintig waren zag je het verschil niet meer.

Hij droomde veel in Noorwegen, maar nooit over haar. Tot hij op een nacht een droom had van een zwaarte die alles overtrof wat hij ooit had gevoeld, wakend of slapend, geluk of verdriet. En dat terwijl ze ook daar niet in voorkwam. Maar het ging wel over haar. Hij was in zijn oude huis, in zijn oude kamer. Het was er schemerig, bijna donker, en hij zat aan zijn bureau, het bureau waaraan hij Pasgeboren Girafje had geschreven. Marte zou *misschien* komen. Dat was alles. Er gebeurde niets, hij wachtte. Het geluk van haar mogelijke komst, de ongerustheid over haar wegblijven, het verlangen naar haar en het missen van haar waren samen één gevoel, ondraaglijk, heerlijk, pijnigend, verpletterend.

De rest van de vakantie voelde hij die droom even sterk als op het moment dat hij eruit wakker was geworden.

De avond voor de laatste rit terug naar huis, in een plaatsje in Denemarken vlak boven de Duitse grens, drie dagen voor hij Marte weer zou zien, namen Thérèse en hij een goedkoop hotel. Toen ze daar aten, en Thérèse even naar de wc ging, kwam ze terug met een waanzinnige, blije, teleurgestelde, hemelse blik: ze was ongesteld geworden.

Het was een moment waar Emile later vaak aan zou terugdenken. Dan dacht hij: als ik mijn leven over mocht doen, dan waren er genoeg momenten waarop ik het anders zou doen. Maar als het lot mijn leven over mocht doen, dan had het toen Thérèse zwanger moeten laten zijn.

De volgende avond in Amsterdam, voor haar deur, haar helm nog op, maakte Thérèse het uit.

In zijn souterrain, zijn tassen onuitgepakt op de grond, de motorfiets nog gonzend in zijn lichaam, bekeek Emile zijn post.

Er was een brief bij van Uitgeverij Publicum. En een envelop met *M.J.* op de achterkant. Die opende hij het eerst. Marte zei de afspraak af.

5 Het honderdjarig bestaan

Het duurde vier jaar voor hij haar weer zag. En sprak, en met haar danste. En ditmaal was het geen toeval dat ze elkaar tegenkwamen zoals de drie vorige keren, maar wist hij dat dat kon gebeuren.

Het Amstel Lyceum bestond honderd jaar – als je het ruim zag en voorgangers meerekende die onder niet meer bestaande namen in allang afgebroken gebouwen hadden gezeten. Het zou worden gevierd met een groot feest in het gebouw van nu, waar ook Emile nog eindexamen had gedaan, voor iedereen die ooit iets met de school te maken had gehad.

Toen hij daar een brief over kreeg, was het alsof hij de oplossing van een raadsel zag. Hij had altijd geweten dat hij Marte weer zou zien – nu wist hij hoe en waar.

En zij wist het ook – zij kreeg die brief ook.

Op 1 januari was ze achttien geworden – misschien zat ze daar zelfs nog op school. Maar met die moeder... ze kon net zo goed in Arnhem wonen. Toen hij daar een keer was, had hij naar haar uitgekeken. Ze kon *overal* terechtgekomen zijn, in een ander land, ver buiten het bereik van de feestcommissie.

Maar ze zou er zijn.

Hoe zeker hij ook wist dat Marte zou komen, Emile wilde de kans dat hij haar zou missen zo klein mogelijk maken, en daarom schreef hij zich ook in voor het buffet, dat voor het eigenlijke feest in de lerarenkamer en de gangen van de eerste verdieping gehouden zou worden.

En daar stond hij, met een bordje met een kippenpoot en maïssla in zijn hand, te luisteren naar de spijbelavonturen van een zeventigjarige oudrechter, de kritiek aan te horen op het onderwijsbeleid van zijn oude leraar wiskunde, een compliment met zijn pas verschenen bundel in ontvangst te nemen van een vrouw die hem niet gelezen bleek te hebben.

Toen hij Marte bij zijn eerste stap in de lerarenkamer niet zag, wist hij dat ze niet op het buffet zou komen, en bij gebrek aan beter keek hij dan maar uit naar Reiff. Tot zijn verbazing kwam die nog ook. En Reiff leek gekomen voor hèm; hij stapte meteen op hem af, en vroeg of Thérèse ook zou komen.

Emile wist het niet. Hij had gehoord dat ze getrouwd was.

'Met jou?' vroeg Reiff. Hij lachte zijn hinniklachje.

Emile moest ook lachen. De laatste keer dat hij Reiff had gezien, was op het feest waar hij hem had zien neuken. Het gaf hem een soort glans.

Reiff maakte snel duidelijk waarom hij Emiles gezelschap zocht: hij schreef nu ook. Tekstjes voor een reclamebureau, en filmrecensies 'over films waar jij nooit naartoe zou gaan, in een krant die je niet leest'. Maar sinds enige tijd schreef hij ook echt – verhalen. En daarom wilde hij samen met Emile een nieuw literair blad beginnen. Via dat reclamebureau kende hij een drukker die een speciale prijs zou rekenen, en kon hij ook wat advertenties regelen. Het hoefde hun zelf niets te kosten, er zou zelfs ruimte zijn voor kleine honoraria. Hij had een paar andere jonge schrijvers benaderd die enthousiast waren.

Van geen van hen had Emile gehoord.

Dat had je gedacht, dacht hij. Meeliften op mijn naam. Ik hoef geen eigen blaadje te beginnen om mijn werk gepubliceerd te krijgen. Stuur je verhalen maar naar een echt tijdschrift, dan merk je vanzelf of het wat is.

Maar hij wilde niet onaardig zijn tegenover zo'n oude vriend, en hij vond het goed om er nog een keer over te praten. Ze maakten een afspraak voor een paar dagen later, bij Reiff. Dan kon hij meteen de fantastische nieuwe kamer zien waar die nu woonde.

Plotseling voelde Emile een krankzinnige drang om hem over Marte te vertellen. Aan wie anders kon hij kwijt wat er die avond zou gebeuren? Reiff kende haar, had in ieder geval een keer naar haar gekeken, de keer van *platvis*. Misschien wist hij dat nog, en zou hij het leuk vinden om te weten welke rol dat moment had gespeeld bij het ontstaan van Pasgeboren Girafje.

Maar hij deed het niet. Het zou een lek stoten in de schaduwstad die alleen van Marte en hem was geweest. In plaats daarvan begon hij tot zijn eigen verbazing Reiff uit de doeken te doen wat poëzie inhield, wat het dichterschap wàs. Hij kon haast niet geloven hoe hij zich liet gaan, zelfs in bewoordingen die nooit eerder bij hem waren opgekomen.

'Ik heb het een keer uitgerekend,' zei hij. 'Als er een gedicht van mij in de krant staat, dan krijg ik daar vijftien gulden voor. Dat is één komma twee cent per uur. Maar ik kan beter, ik moet onder de cent kunnen komen. Want weet je wat dichten voor mij is? Niet: iets maken dat goed is, maar: iets maken dat is wat het had moeten worden. Het gedicht is er al, ik hoef geen letter zelf te bedenken. Het wacht op mij. Ik moet het vinden, en hiernaar-toe halen. Als ik voel dat er een gedicht op mij wacht, dan ga ik op zoek. Daar heb ik een soort wichelroede voor. Als ik talent heb, dan is dat mijn talent, die wichelroede. Want ik vind ze vaak, mijn gedichten.'

Ik vertel dit om hem te vernederen, dacht hij. Om hem te laten voelen wat literatuur echt is, hij met zijn reclameteksten en zijn blaadje. Maar het vuur waarmee ik praat, dat is het vuur waarmee ik over Marte zou hebben gepraat.

'Wichelroededichter, dat is wat ik ben. Als ik weet waar het gedicht zit, dan begint het echte werk. Ik moet het uitgraven, heel voorzichtig, om het zonder beschadigingen boven te krijgen. En als dat gelukt is, dan moet ik het schoonmaken. Ik moet het afstoffen, er mag geen korreltje aarde op blijven zitten, er mag geen krasje op komen. Het kan me niet schelen hoe lang ik daarover doe. Hoe langer hoe heerlijker. En als het schoon is, dan is het van mij. Dan heb ìk het geschreven. Dan geloof ik erin, dan heb ik het gevoel dat ik heb getoverd.'

'Mooi gezegd,' zei Reiff, 'wichelroededichter. Maar dat gevoel van toveren – dat zou ik juist hebben als ik *niet* geloofde in wat ik schreef.'

Toen de kippenpoten op waren, en er van beneden in het gebouw al feestgedruis en muziek opklonk, begonnen de buffetgangers de eerste verdieping te verlaten en langs de trappen af te dalen naar de kantine waar het feest zou zijn. Reiff en Emile liepen ook die kant op, maar bij de toiletten excuseerde Emile zich. Hij ging naar binnen, en wachtte op een van de wc's tot hij geen voetstappen meer hoorde. Daarna liep hij de gang in naar het lokaal Grieks.

De deur was niet op slot, hij kon naar binnen. Het was nog steeds het lokaal Grieks – de grote kartonnen plaat van de Acropolis, met al die oude bekenden in witte tunieken die met elkaar stonden te praten, hing er nog. Hij herkende de speciale geur van dat lokaal; het parfum van mevrouw Kortlever de Bruïne. Die was toen al zo oud geweest – gaf die hier dan nog steeds les? Of was het nog de geur van toen, van de spanning van de woensdagochtenden: zou ik zo meteen dat kleine meisje weer zien?

Hij ging weer naar buiten, de gang op. Nu niet te langzaam of te snel lopen. Op de overloop van de eerste verdieping, bij de lerarenkamer, duwde iemand een rinkelend karretje met resten van het buffet naar buiten. Beneden was geroezemoes, vrolijke stemmen van mensen die elkaar herkenden, geplonk van een bas, de echoënde tonen van een saxofoon. De feestvierders moesten nu echt binnenstromen. Misschien was Marte er al.

Langzaam beklom hij de trap naar de tweede verdieping. Het was daar donker, de feestgeluiden waren er niet meer dan een ijl galmen. Op de overloop bleef hij staan, kijkend naar de donkere opening van de gang naar het lokaal Duits.

Waarom hadden ze elkaar eigenlijk niet meer gezien? Na zó'n zomer? Alleen maar omdat zij misschien niet meer in Amsterdam woonde? *Zij* had hun afspraak afgezegd, het was niet aan hem om naar haar op zoek te gaan. Hoe had hij haar ook moeten vinden, met haar gezwerf en haar gewone achternaam? Ze had hèm kunnen vinden als ze gewild had – er waren maar een paar Binenbaums in heel Nederland. Was ze boos geweest, omdat hij uit hun zomer was weggelopen en met Thérèse naar Noorwegen was gegaan? Of had het te maken met wat ze een keer over haar moeder gezegd had – dat het beter was elkaar na een liefde niet meer te zien dan vrienden te worden? Dan had ze met haar zwijgen gezegd dat ze van hem gehouden had.

Dat moest het zijn: hun Zomer was afgesloten met Dertiendrie. Hij zag haar nog zitten, klappend en kijkend, nadat hij Pasgeboren Girafje had voorgelezen. Daar hoefde niets meer bij; daar kòn niets meer bij. Wat er nu zou gebeuren was geen vervolg, maar iets nieuws.

En waarom zou ze niet uit de gang van het lokaal Duits tevoorschijn komen? Ze kon net zo hebben gedacht als hij; haar deel van hun woensdagochtenden hebben willen beleven, het buffet hebben overgeslagen om de verrassing groter te maken. Dan zou het voor het toeval, dat ze toch altijd weer bij elkaar bracht, een koud kunstje zijn om te zorgen dat ze elkaar hier, op de overloop van de tweede verdieping, weer tegenkwamen.

Emile lachte in zichzelf: gek die hij was, om teleurgesteld te zijn dat ze niet uit de gang opdook. Hij nam een besluit – of eigenlijk, dat had hij al genomen toen hij de brief over het feest kreeg. Als hij haar vanavond niet zag, dan spoorde hij haar op.

En dan ging hij naar haar toe. Waar ze ook woonde.

Kom Emile, zei hij tegen zichzelf. Dit is het verleden. Op naar het heden.

Hij keerde om, begon de trappen af te dalen. De vrolijke geluiden werden weer sterker, en op de laatste trappen zag hij de drukte van de dooreen krioelende feestgangers in de hal. Aan één kant stonden een paar muzikanten met bolhoedjes op te spelen; een saxofonist, een bassist, een jongen met een trommel op zijn buik. En toen hij op het laatste stuk van de trap was, zag hij haar.

Het was alsof al het andere achter matglas verdween.

Hij bleef staan.

Ze stond bij de toegangsdeuren, in een lichtgroen jurkje, en ze richtte zich net op uit de voorovergebogen houding waarmee ze iets van een tafel had gepakt die bij die deuren stond. Ze keek terug, alsof hij door haar te zien, haar had gedwongen hèm te zien.

Ze lachten en knikten naar elkaar, met half opgeheven hand. In haar blik was blijdschap en opluchting.

Wat was ze mooi geworden! *Dit* was wat hij al had gezien toen ze negen was: de mooie vrouw die dat mooie kind zou worden. Het boerse was verdwenen, of opgegaan in iets liefs en leuks, de wipneus was grappig, ze was strak en helder als toen in Schoorl, maar voller, zachter. Haar haar was kort en sluik, met een rode glans die prachtig afstak hij het groen van haar jurkje, en die de spot in haar blik benadrukte. Hoe had hij in de Zomer ooit kunnen denken dat de belofte van het sterretje niet was uitgekomen? Die had toen nog geen kans gehad om uit te komen, ze was veertien geweest, een puber in een puberlichaam.

Ze had een soort witte bloem op haar jurk, net als een paar andere jongelui bij de ingang – een insigne misschien, van mensen die met de organisatie van het feest te maken hadden. Op die tafel stond een doos met enveloppen die zij, en twee anderen die ook zo'n bloem hadden, aan de binnenkomenden gaven.

Hij ging naar haar toe.

'Hé, Marte,' zei hij.

'Hé hallo Emile,' zei ze. 'Ik wist dat je zou komen.' Ze knikte naar een lijst die op de tafel lag. 'Ik had je naam al gezien.'

'Bij de B van Binenbaum,' zei hij. 'Niet bij de I van Inenbaum.'

Ze grinnikten.

'Je bent ook bij het buffet geweest hè?' zei ze.

Hij knikte. Het was heerlijk haar stem te horen, die een leegte in hem ophief die er vier jaar was geweest.

'Dan krijg je nog bonnetjes.' Ze keek op de lijst, zette een streepje, pakte een envelop uit de doos en gaf hem die.

'Dat je hier nog op school zit,' zei hij. 'Dat had ik nooit durven denken.'

'Nee joh, allang niet meer. Ik dacht wel dat je dat

zou denken. Ik zit helemaal niet meer op school. Maar ik zit wel in de feestcommissie. Dat is een heel verhaal, dat vertel ik je nog wel.'

Ze maakte een spijtig gebaar naar de bloem op haar jurk; ze moest toegangsbewijzen in ontvangst nemen, streepjes op haar lijst zetten, enveloppen geven, ze kon niet alleen maar aandacht voor hem hebben. Hij stond een beetje in de weg, er begonnen mensen tegen hem op te botsen, hij deed een stap opzij.

'Je zou toen toch misschien naar Arnhem verhuizen? Woon je nu dan weer in Amsterdam.'

Ze moest even denken, toen ging haar een licht op. 'O ja, *Arnhem*. Daar heb ik toen gewoond, ja. Eén dag.' Ze lachte. 'Ik heb twee jaar in Utrecht gewoond, bij m'n moeder. Maar ik zit alweer een tijdje in Amsterdam. Op kamers.' Ze had een baantje op een kantoor, ze tekende nog, ze wilde een avondcursus gaan doen – maar ze konden niet echt praten. Er kwamen zo veel mensen binnen, oud-klasgenoten die haar herkenden, en die verbaasd waren haar te zien. Ook Emile werd herkend, mensen wilden met hèm praten, weten hoe het met het dichten ging, vertellen hoe het met henzelf ging.

'Heb je mijn bundels?' vroeg hij aan Marte. 'Anders vind ik het leuk om je die te geven. Er is net een nieuwe uit.'

'Natuurlijk heb ik die,' zei ze. 'Ik volg je, hoor.' In haar blik was iets bestraffends: kom nu Emile, natuurlijk volg ik je, *wij* hebben toch geen dicht-

bundels nodig die jij me zou moeten komen brengen om te zorgen dat we elkaar ook na vanavond
nog zien? En ik ben nu wel even bezig, maar we
hebben toch deze hele avond nog? En alle tijd
daarna?

'Tot straks!' zei Emile, en hij liep door naar de
kantine. Die was ingericht als voor een echt, ou-
derwets schoolfeest. De saxofonist, de bassist en de
trommelaar waren daar nu ook; ze maakten deel
uit van een bandje op een podium dat al speelde,
ouderwetse jazz – allemaal jongelui in witte overhemden en met strikjes en bolhoedjes, scholieren
ongetwijfeld. Overal hingen visnetten, slingers, lag
confetti, dobberden ballonnen tegen het plafond.

Hij kwam klasgenoten, leraren, bekenden tegen,
de jongens van de liftreis naar Spanje, er werden
foto's gemaakt, en nu was het leuk om iedereen te
zien en te spreken, maar het was ook alsof die gesprekken net zo goed vogelgeluiden hadden kunnen zijn – alles was er alleen maar in afwachting
van Marte.

Kon het zijn dat hij dit feest herkende? Hij
moest zich bedwingen om niet te ver door te denken – maar zag het er niet precies zo uit als op dat
schoolfeest toen hij in de zesde zat en zij in de eerste, en het onmogelijk was geweest om met elkaar
te dansen? Ze zat in de feestcommissie – ze kon
haar functie hebben gebruikt om te zorgen dat dit
feest een kopie was van dat feest van toen. Hadden
er toen ook niet visnetten gehangen, ballonnen tegen het plafond gezweefd, had het bandje toen ook

niet witte overhemden en bolhoedjes gehad?

Hou op Emile, dacht hij. Maar ik kan dit aan. Kijk, ik ben helemaal normaal. Ik betaal dit pilsje gewoon met een van haar bonnetjes. Als ik gek was geweest, dan had ik gedacht: wat is de prijs van een pilsje tegenover een oranje bonnetje waar AMSTEL 100 op staat en dat Marte Jacobs me gaf, bij ons weerzien na vier jaar. Bij het begin van Godweet-wat. En dan had ik het bewaard. Maar nu: weg bonnetje, het kan me niet schelen – maar ik hef wel mijn glas. En hij hief zijn glas, naar niemand in het bijzonder, en in zichzelf zei hij: 'Op ons' – en precies op dat moment zag hij Marte, aan de andere kant van de zaal. Ze zag hèm en ze begreep het – en ze hief haar lege hand alsof ze ook een glas had.

Thérèse was er ineens ook, alleen, kreeg hij de indruk, misschien was het niet waar dat ze getrouwd was. Ze wilde met hem dansen, maar na één dans maakte hij zich van haar los. Hij liep rond, dronk, wachtte, was vriendelijk tegen een redactielid van de schoolkrant van nu, een van ontzag hakkelende jongen die zowaar iets zinnigs zei over zijn gedichten en die vroeg of hij een interview mocht maken, maar daar gaf Emile een ontwijkend antwoord op. Hij zag Reiff, die natuurlijk weer nooit ver van Thérèse vandaan was, maar hij ging niet naar ze toe, en hij praatte even met het zigeunerachtige meisje dat vroeger altijd bij Marte in de buurt was geweest, en dat hij toen ook in de bioscoop had gezien, de avond dat de Zomer begon. Hij zag hoe mensen hem herkenden maar gelukkig meestal te verlegen of bescheiden waren om hem aan te schieten, hij maakte zijn bonnetjes op, en af en toe zag hij Marte die een verontschuldigend lachje naar hem lachte, omdat ze nog steeds niet klaar was met haar verplichtingen. Ze haalde lege glazen van tafeltjes, droeg dozen naar de bar, praatte met mensen, bracht in een pauze een dienblad met drank naar het bandje, waarbij ze zich even zo naar de pianist vooroverboog, haar rechteronderbeen geheven, haar hoofd vlak bij het zijne, een lach in haar profiel, dat er een steek door Emile heen ging: dat zou toch niet haar vriendje zijn? Aan die mogelijkheid had hij helemaal niet gedacht – natuurlijk had zo'n mooi meisje een vriendje. En dat zou zeker een bijzondere jongen zijn, iemand als de pianist van het bandje.

Maar het kon niet. Dan zou ze niet zo naar hèm lachen, steeds weer als ze elkaars blik opvingen. Ze had geen vriendje. En hij had geen vriendin – hij had geen vriendin kùnnen hebben. Een paar weken eerder was het uitgeraakt met een meisje – toen wist hij eigenlijk niet waarom, maar nu wel: het lot had hem vrij gemaakt voor Marte. En zij was vrij voor hem.

Hij danste niet meer, hij had spijt van die ene dans met Thérèse. Hij mocht hier alleen met Marte dansen. Hij dronk en praatte, probeerde zich de muziek in te prenten, wetend dat dat niet kon lukken èn dat hij die muziek altijd zou herkennen, al was hij honderd.

Reiff danste met Thérèse, en ook een keer met

het zigeunerachtige meisje, en omdat ze zo aandrong danste Emile toch nog een keer met Thérèse, en toen hij tijdens die dans de blik van Marte opving, was daarin geen verwijt. En ten slotte, toen er al heel wat ballonnen op de vloer lagen en waren geknapt, en er slingers in bierplassen dreven, kwam ze naar hem toe, onderweg lachend anderen afwerend die ook met haar wilden dansen – en dansten zij.

Wat een avond – zo dichtbij was ze nooit geweest. Iets lichts en fris en oneindig teers in zijn armen, dat daar hoorde te zijn. Alle beloften, van het pasgeboren girafje, van het sterretje, van de Zomer, kwamen nu uit. En uit niets bleek dat ze hem de gemiste vier jaar kwalijk nam – waarom zou ze ook. Hij nam haar die niet kwalijk. Ze zeiden niets, en in hun lach was blijdschap en toch ook droefheid: veel tijd verloren, veel tijd om tegemoet te zien. Eindelijk waren ze niet meer te jong en te oud voor elkaar. Wat een vooruitziende blik had hij gehad toen hij haar niet had gekust, op het bankje in dat park. De hele vier jaar had hij zich afgevraagd of hij dat toch had moeten doen – nu wist hij dat hij het juiste had gedaan. Ze waren helderziend geweest – ze hadden sámen weerstand geboden aan die kus, allebei geweten dat ze moesten wachten, op nu. Daarom had ze toen ook haar briefje gestuurd, dat had ze beter begrepen dan hij: een extra ontmoeting was niet meer nodig geweest, ze hadden alles al gedaan om deze avond mogelijk te maken.

Dit was hun eerste omhelzing – nog maar de formele omhelzing van een langzame dans, zijn linkerhand half geheven met haar rechterhand erin, zijn arm om haar middel, haar hand op zijn schouder, hun lichamen bijna rakend; de aankondiging van hun echte omhelzing, straks.

De bonnetjes waren allang op, er was driemaal zoveel gedronken als er in Martes envelopjes had gezeten, het bandje speelde alleen nog langzame nummers, niet iedere muzikant droeg zijn bolhoedje nog, op de dansvloer was het stil geworden, Thérèse zag hij nergens meer en aan de zijkant zat Willem Reiff, onderuitgezakt, een glas in zijn hand, en keek toe.

Hoe zou het gaan? Hij zou haar kussen, maar niet hier. Hij zou met haar slapen, maar niet per se vannacht. Nee – na vier jaar, na *negen* jaar… wel vannacht. Hij ging met haar mee naar haar kamer – daarom woonde ze op kamers. Er kon geen lastige hospita, geen belemmering zijn. Voor het eerst zou hij haar tafel en stoelen zien, haar bed, zou hij haar in zijn armen hebben, de gladheid van haar huid voelen. En als ze uitrustten, dàn zou hij het zeggen: Marte, je wist het altijd al hè. En zij zou begrijpen wat hij bedoelde, haar hand op zijn mond leggen en het zelf zeggen: natuurlijk wist ik dat. Ik ben het pasgeboren girafje.

De dans was afgelopen, een volgende begon, en weer danste hij met haar. Maar nu was het de laatste dans, en aan het eind ervan sloeg de pianist een paar valse akkoorden aan, ten teken dat het feest was afgelopen. De lichten gingen aan en ze zouden weggaan maar Marte moest nog een paar dingen doen omdat ze in de feestcommissie zat. Ze verdween, maar even later waren ze tegelijk in de vestibule om hun jassen te pakken, en een ogenblik later stonden ze samen op straat, in een kringetje met een paar anderen. Vroegere klasgenoten van Marte misschien, feestcommissieleden, de pianist, andere muzikanten die nu onherkenbaar waren door het niet meer dragen van hun bolhoedjes, het zigeunerachtige meisje.

De pianist stond naast Marte. Emile zou wachten tot hij weg was. Of tot door iets anders zeker was dat Marte en hij niet bij elkaar hoorden. Dan zou hij tegen haar zeggen: kom, we gaan.

Hij keek naar haar. Zij keek niet naar de pianist, maar ook niet naar hem. Ze keek voor zich uit, met een starende blik.

En dat was het laatste wat Emile ooit van Marte Jacobs zag: ze staan met z'n vijven of zessen voor de uitgang van de school, half op straat, half op het trottoir, jongelui, scholieren, hij is daar de enige van boven de twintig. Dichtbij is een lantarenpaal, het licht valt schuin op het groepje. Marte is mooi maar afwezig, somber misschien, het wit van een oog flonkert in het licht van die straatlantaarn, je kan niet zien waar ze naar kijkt of waar ze aan denkt. Af en toe komen er nog feestvierders naar buiten, wordt er iets gezegd of geroepen. In de school gaan lichten uit.

Hij wacht tot de pianist, de anderen weg zullen gaan.

Dan staat ineens Willem Reiff bij ze.

En op hetzelfde moment stapt Reiff op Marte af, legt zijn hand op haar schouder, en zegt: 'Jou moet ik hebben. Jij bent een ontzettend lekker meisje. Ga mee.'

En het volgende ogenblik is Reiff weg, en is Marte weg.

6 Het Tweede Gedicht

De afspraak over het blad was nog doorgegaan ook
– maar om naar Reiffs fantastische nieuwe kamer
te kunnen gaan had Emile moeten opstaan uit de
dood. Het was zo onmogelijk om daarheen te gaan
dat hij maar één ding kon doen: alles omkeren. Hij
kon niet gaan, *dus* ging hij.

Hij ging te voet. De kracht om zijn fiets van het
slot te halen, of te bedenken welke tram hij moest
hebben, had hij niet. Hij liep langzaam, zijn blik
gericht op de grond, op een voortschuivend punt
vóór hem. Hij merkte dat hij dat punt tot zijn verdriet kon máken, dat daardoor niet meer in hem
hoefde te zijn. Hij liet het zwenken, naar de rijweg,
waar het door de tramrails gleed, onder auto's door

rolde, naar de huizenkant, waar het door voortuin-
tjes huppelde en op daken sprong. Radiografisch
bestuurbaar verdriet, een nieuwe uitvinding van de
grote verdrietvoeler Emile Binenbaum, voor het
eerst door hem gevoeld om het weggegrist worden
van Marte Jacobs, bij de lantarenpaal voor school.
Ze kon trots op hem zijn.

Hij moest wel gaan – anders zou Reiff weten dat
hij hem bestolen had. En wat viel hem te verwij-
ten? Het sterretje en de platvis zou hij vergeten
zijn; dat Emile met Marte had gedanst kon hem
zijn ontgaan. Reiff had de hele avond achter Thérèse aan gezeten, hoe moest hij eigenlijk weten dat
er iets had zullen beginnen, tussen Emile en Marte? Hij had een lekker meisje gezien, 's nachts op
straat voor een school, waarom dan niet haar meegegrist? En Marte had zich láten meegrissen – wat
bewees dat Reiff het recht had om dat te doen.

Hoe zoiets mogelijk was, dat was Emile een
raadsel. Hij speelde het in gedachten steeds opnieuw af, beeldje voor beeldje. Terwijl Reiff bezig
was iets te zeggen over een lekker meisje, had hij
nog gedacht dat het een compliment was, met zijn
leuke nieuwe vriendin. Toen was Marte ineens weg
– en al terwijl ze werd weggegrist, had Emile het
voor zich gezien zoals hij het nog voor zich zag, en
altijd zou blijven zien: Reiff kwam, pakte Marte bij
het nekvel, en weg was ze, haar benen achter haar
aan wapperend in de lucht, als de sjaal van een motorrijder.

Reiff en hij zouden tegenover elkaar zitten als

leerling tegenover meester – maar ze zouden allebei leerling zijn, en allebei meester. Emile wist zoveel van Marte dat Reiff niet wist, maar nu wist Reiff ook iets dat hij niet wist. Dat zou niet ter sprake komen, ze zouden heren zijn. Dus zou vooral hij meester zijn. Reiff zou gefascineerd luisteren; zou niet iedere minnaar willen weten hoe zijn nieuwe geliefde duinzand van haar broekje had geslagen toen ze negen was? Hij zou het ontzag in Reiff zien groeien om de diepte van wat er kennelijk was geweest tussen Marte en hem, maar er waren gebieden waar Reiff geen toegang had. Haar dromen, haar linksbenigheid die *hij* had ontdekt, Pasgeboren Girafje, hun eenwording bij Dertiendrie – dat alles ging hem niet aan.

De Zomer, en de hoofdletter daarvan, zou wèl ter sprake komen, maar niet het woord *kronkeltocht* – dat kende Marte niet eens. De suggestie dat hij toen met haar naar bed was geweest, zou niet te vermijden zijn – maar toen hij zover was met zijn gedachten, besefte Emile: ze heeft hem alles al verteld.

Reiffs kamer was een enorme, schemerige zolder van een hoekhuis, waar Marte niet was en waar ook geen sporen van haar waren, maar die tot in iedere porie gevuld was met haar. Aan twee kanten keek je uit over de stad, één raam gaf zicht op achtertuintjes. Een aparte slaapkamer was er niet; bij de blinde muur stond het bed. Na de rondleiding dirigeerde Reiff hem naar een bankje daartegenover en ging thee zetten, alsof hij Emile en dat bed even discreet met z'n tweeën alleen wilde laten.

Bij het eerste woord dat daarna gezegd werd, wist Emile dat Marte niet genoemd zou worden, en dat het werkelijk over dat blad zou gaan. Hoe langer hij Reiffs literaire plannen en inzichten aan moest horen, hoe meer hij vreesde dat hij het niet-noemen van haar naam niet meer zou kunnen verdragen en van het bankje zou opstaan, zich op zijn knieën zou werpen en met zijn vuisten op de vloer zou beuken, haar naam brullend, smekend om antwoorden. Hadden jullie al gekust voor jullie hier kwamen? Waar heeft haar lichtgroene jurkje gelegen, over de rug van het bankje waar ik nu zit? Was ze nog maagd? Wat is er met die witte bloem van de feestcommissie gebeurd, heb je gevraagd of je die mocht houden? – nee natuurlijk, zo ben jij niet. Zou je haar voetstappen voor me op de vloer willen tekenen, van hoe ze naar je bed liep? Eentje maar, dat is genoeg. De stap het dichtst bij je bed, die het liefst. Had ze toen haar broekje nog aan of heeft ze dat pas in bed uitgedaan? Wanneer komt ze weer? Is ze vannacht ook hier geweest, is ze alleen maar even weg omdat ik er ben?

Wat heeft ze over mij gezegd?

Maar terwijl hij van ver Reiffs stem hoorde over een blad dat nooit zou bestaan, en hij naar het bed keek, naar Reiffs handen, naar zijn ogen die haar hadden gezien terwijl zij neukte, wist Emile wat zij in gedachten tegen Reiff had gezegd, terwijl dat gebeurde. Ik laat jou nu wel in mij toe, maar dat betekent niets, het is om mijzelf nog meer te laten voelen dat het Emile is bij wie ik hoor. Er is een vergissing gemaakt. Neuk me maar, het raakt me niet, niemand kan bij mij raken wat Emile geraakt heeft.

Hij was uitgeput toen hij Reiffs trappen weer afdaalde, alsof hij een rotsblok had moeten tegenhouden dat hem anders verpletterd zou hebben, alsof hij al het missen van Marte dat er al was geweest, en dat hem nog te wachten stond, tegelijk moest dragen.

Naar Reiff gaan was het dapperste wat hij ooit gedaan had. Maar daarna meed Emile de plekken waar hij hem kon tegenkomen. Marte kon bij hem zijn. Reiffs kamer lag aan een drukke straat waar hij vaak door kwam, maar nu koos hij andere routes. Maar een enkele keer, als een sportman die zich in vorm voelt en die ineens denkt alles aan te kunnen, fietste hij er toch door, langzaam, *hopend* dat hij haar zou zien.

Zij zou daar ook lopen, alleen, in gedachten verzonken, maar ze zou opkijken als hij eraan kwam. Ze zouden allebei schrikken maar ook blij zijn, en hun hand naar elkaar opsteken. Zij zou blijven staan en hij zou bij haar remmen; verlegen zouden ze tegenover elkaar staan. Ze had een boodschappennetje bij zich, gevuld met dingen die ze alleen kon hebben gekocht om samen met Reiff een etentje te maken. Hij keek daarnaar en zij begreep zijn blik, en lachte een beschaamd lachje. Hij zou zeggen: hé, Marte. Leuk je te zien. Je ziet er goed uit. Jij ook, zou ze zeggen. En in haar toon zou hij horen: het is iets voorbijgaands. We moeten ons er niet te veel van aantrekken. Maar waarom heb je het dan gedaan? zei hij. Je hebt gelijk, zei zij, het had niet moeten gebeuren. Maar ik kon niet anders. Ik stond klaar om met jou mee te gaan. Dat meegaan zat zo diep in me, al zo lang, dat ik het wel moest geven aan de eerste die erom vroeg, en dat was hij. Mijn meegaan was voor jou, maar het is bij hem terechtgekomen. Maak je geen zorgen, wij komen nog samen, wij horen bij elkaar. Alles is alleen maar een voorbereiding van wat er tussen ons zal zijn.

Hij zou knikken, en zij zou weten dat hij dit kon verdragen, dat hij geduld had. En opgelucht, vrolijk, bijna verliefd fietste hij verder.

Ieder moment kon ze bellen, maar ze belde niet. Hij was haar kwijt.

Maar na een paar weken dacht hij: waarom zou ik haar eigenlijk kwijt zijn? Wat een vreemde gedachte over iemand met wie ik zo verbonden ben als met haar. Misschien is het allang uit met Reiff. Of er is niet eens iets gebeurd, ze heeft onder aan zijn trap gezegd: het is een vergissing, ik ga naar mijn eigen kamer. Ze wacht. Ze laat niets horen omdat ze niet durft. Ze schaamt zich. Het ging ook wel ver, wat ze gedaan heeft.

Maar als ze bij elkaar hoorden, en het stond vast dat ze bij elkaar zouden *zijn*, was het dan niet jammer van de tijd die nu voorbijging zonder dat ze bij elkaar wáren? Was er al niet genoeg tijd verloren gegaan? Zíj was ontrouw geweest, zij zou de eerste stap moeten doen, maar zou het niet schitterend zijn als hij ondanks alles degene was die dat deed?

Hij moest haar zijn open armen laten zien.

Maar hoe?

Daar was een onontkoombaar antwoord op. Net als toen, met zijn talent – met een gedicht.

Zodra hij dat wist, leek zijn verdriet opgelost. Alsof dat gedicht er al was, en popelde om te doen wat het moest doen. Alles klopte. Net als bij Pasgeboren Girafje zou hij een beeld gebruiken dat alleen hij kende: haar benen die in de lucht achter haar aan wapperden toen Reiff haar had meegegrist. En net als toen stond vast dat ze het zou lezen. Toen in de schoolkrant, nu op de dichterspagina van de Amsterdamse Tribune. 'Ik volg je,' had ze gezegd. Ze wàchtte op een gedicht van hem. Iedere zaterdag keek ze vol hoop op de dichterspagina – tot nu toe tevergeefs.

Als ze het zag zou ze meteen komen.

Het gedicht ging over een man en een vrouw die in een woestijn staan. Het is nacht, er is alleen licht van de maan – een vermomming van de lantarenpaal op straat voor de school, en tegelijk een heroptreden van een echte maan; de maan die tijdens het voetballen in Schoorl was opgekomen. De vrouw zal met de man meegaan, het meegaan is al in haar aanwezig. Maar juist op het moment dat zij dat aan hem wil geven, komt er vanuit het niets van de woestijn een motorfiets aangebruld. De berijder pakt haar bij het nekvel en grist haar mee, en zij kan geen weerstand bieden omdat het meegaan al in haar zat, al was het voor een ander. Het laatste wat de man van haar ziet zijn haar wapperende benen, als de sjaal van die motorrijder. Hij spreidt zijn armen, de handpalmen geopend.

Alles was als toen – zijn verzonkenheid in het gedicht, de zorg waarmee hij de deeltjes ervan rangschikte tot het precies zou zeggen wat gezegd moest worden. En net als met Pasgeboren Girafje was er iets dat hij eindeloos veranderde en weer terugveranderde – toen het regenwolkje, nu de titel. Nu eens was die Wapperende Benen, dan weer Het Tweede Gedicht. Wapperende Benen was beter, als contrapunt met de open armen aan het slot, en als rijm met Pasgeboren Girafje – hetzelfde soort titel, en het legde nadruk op haar benen die in beide gedichten een rol speelden: toen struikelend, nu wapperend, wat weer een verwijzing was naar zijn ontdekking van haar linksbenigheid. Maar Het Tweede Gedicht was duidelijker. Iedere lezer zou denken: wat was dan het eerste gedicht? – zij zou het weten.

Het werd: Het Tweede Gedicht.

Toen het af was, een laatste maal uitgetikt, in een envelop gesloten, en hij zijn jas al aan had om naar de brievenbus te gaan, maakte Emile een foto van zichzelf in de spiegel, met die envelop in zijn hand.

De eerste zaterdag stond Het Tweede Gedicht nog niet in de krant – dat kon ook nauwelijks. De tweede zaterdag ook niet, en toen het er de zaterdag daarna nog steeds niet instond, belde Emile Arno Loos, om te vragen wanneer het erin zou komen.

'Dat wéét ik nog niet,' zei Loos.

'Maar toch niet over langer dan twee weken? Of drie?'

'Ik weet niet òf ik het plaats. Het is niet je beste gedicht.'

Het was alsof hij een kamer was binnengestapt waar geen vloer bleek te zijn. Dat Loos het gedicht zou weigeren was een mogelijkheid waarmee hij geen rekening had gehouden. En dan dit gedicht. En de manier waarop hij het gezegd had! 'Niet je beste gedicht' – sinds wanneer moest een gedicht van hem zijn beste gedicht zijn om goed genoeg te zijn voor de dichterspagina van de Amsterdamse Tribune? Loos had al bijna twintig gedichten van hem geplaatst. Hij had er ook een paar geweigerd, maar nooit meer na de verschijning van zijn eerste bundel. Dat ook werk van gebundelde dichters geweigerd kon worden, was nooit bij Emile opgekomen.

Het liefst had hij nu gezegd: jammer, en had hij nooit meer iets naar Loos gestuurd. Maar dit gedicht was meer dan een gedicht.

'Wat is er dan niet goed aan?' vroeg hij – precies de vraag die hij zich had voorgenomen nooit te stellen.

'Afgezien van een paar andere dingen, de titel,'

zei Loos. 'Die is Het Tweede Gedicht, maar dan moet er toch ook een eerste gedicht zijn? Daar duidt niets op.'

Emile twijfelde. Hij kon zeggen dat Pasgeboren Girafje dat eerste gedicht was en dat dit gedicht daar een tweeluik mee vormde – maar die onthulling gunde hij Loos niet. Marte moest dat als eerste zien.

'Er is een meisje,' zei Emile. 'Zij kan weten wat dat eerste gedicht is. Ze moet een kans hebben om het te begrijpen. Niet een te grote, maar ook niet een te kleine.'

'Alle lezers moeten een kans hebben om het te begrijpen.'

'Dat ben ik met je eens. Maar dit is een speciaal geval. Die open armen van het slotbeeld, die zijn voor haar.'

'Emile, ik doe een dichterspagina, niet de contactadvertenties.'

'Alsjeblieft,' zei Emile. Hij wist dat het als bedelen klonk – het wàs bedelen. Maar wat gaf het. Later, samen met Marte, zou hij Loos in een café tegenkomen. Dan zou hij hem apart nemen, en zeggen: zie je dat meisje? Dat is het meisje van dat gedicht. Ze heeft mijn open armen toen gezien, ze is meteen naar me toe gekomen. Dank je nog wel.

'Je hebt misschien gelijk,' zei hij. 'Ik had ook wel een alternatieve titel. Wat vind je van Wapperende Benen?'

Drie weken later, bijna drie maanden na het feest, stond Wapperende Benen in de Amsterdamse Tribune. 's Ochtends om elf uur, het tijdstip waarop ze de zaterdageditie daar binnen kregen, ging Emile naar de sigarenzaak op de hoek. Staand bij de uitgang sloeg hij de krant open bij de dichterspagina. Zijn gedicht was niet de opening, maar dat hoefde ook niet. Er stond wel weer bij: ...*Emile Binenbaum, bekend van onder andere Pasgeboren Girafje*. Dat begon hem een beetje te vervelen, hij had zo veel andere goede gedichten geschreven. Maar nu was het passend.

Thuis las hij het gedicht opnieuw, met Martes ogen. Eén keer, tien keer. Ze zou het begrijpen, zijn open armen zien – opgelucht zijn omdat zijn liefde haar verraad had overleefd, hem bewonderen omdat hij in staat was tot vergeven.

Wat zou ze doen? En hoe laat?

Ze woonde op kamers. Maar als ze nog met Reiff was, dan was ze bij hem. Stellen waren altijd samen op vrijdagavond, en Reiffs kamer zou wel comfortabeler zijn dan die van haar. Ze waren uitgegaan, hadden bij hem geslapen, tot diep in de ochtend. Deze bijzondere dag in haar leven begon in Reiffs bed. Ze waren misschien nog maar net op, hadden ontbeten, gingen samen boodschappen doen; de markt was dichtbij. Ze kochten eten, drank, kranten. Marte zou zorgen dat de Amsterdamse Tribune daarbij was, maar in Reiffs bijzijn zou ze niet meteen op de dichterspagina kijken. Ze gingen terug naar zijn huis, droegen hun tassen de trappen op, zetten de spullen weg. En dan, op het bankje tegenover het bed waar hij ook had gezeten, las ze de krant. En zag zijn gedicht.

En dan? Het zou een geweldige schok voor haar zijn. Ze zou het niet verborgen kunnen houden; niet wìllen houden. Emile voelde haast medelijden met Reiff. Ik heb een vergissing gemaakt, zou ze zeggen. Ik hoor bij iemand anders, bij Emile. Hier, lees maar. Hij roept me. En dan ging ze weg. Misschien kwam ze meteen naar hem toe. Of ze belde. Nee – ze zou beseffen dat je bij iets als dit niet belde. Ze kwam. In de loop van de middag, of aan het begin van de avond. Dat was een groot moment, maar ze zouden er luchtig mee omspringen. Ze gingen niet meteen met elkaar naar bed – dat was niet nodig, en ook niet passend, meteen na een nacht met Reiff. Het zou zijn alsof ze midden in hun verhouding terechtkwamen zoals die allang had moeten bestaan. Er was 's avonds een feest, daar konden ze gewoon naartoe. Men zou verbaasd zijn ze daar samen te zien, en dan moesten ze wel uitleggen wat er was gebeurd. Als kampioenen zouden ze gehuldigd worden.

En als ze toch op haar eigen kamer was? Dan was ze de krant meteen gaan kopen en had ze het gedicht al gezien, dan was ze er al geweest. Ze was bij Reiff, nog onwetend. Het was één uur – misschien liepen ze al samen over de markt.

Tien over één, elf over één – de minuten waren als treinwagons die hij moest wegduwen. Hij kon de deur niet uit; ze kon ieder moment komen. Of toch bellen. Het enige wat hij kon doen was het gedicht lezen en nog eens lezen, de stilte horen die opgeheven zou worden door haar.

Steeds opnieuw berekende hij haar schema. Hoe laat deed je boodschappen op zaterdag? Om een uur of één, twee. Uiterlijk vier. Dan was je om vijf uur klaar, om halfzes thuis. Om zes uur zat je met de krant op de bank. Alle marges bij elkaar opgeteld: niet later dan om zeven uur las ze het gedicht.

En nu was het pas twaalf over één. Nog bijna zes uur lang zou de kans toenemen dat ze kwam, daarna nam die weer af. De telefoon ging een paar keer, maar steeds was het iemand anders.

Hij herlas het gedicht, met Martes ogen, met zijn eigen ogen, met die van een gewone lezer. Misschien had Loos gelijk, en was het niet zo'n geweldig goed gedicht. Hij kon het niet meer beoordelen. Dat was wel het laatste waar het om ging. Hij maakte nieuwe tijdschema's voor Marte, maar de middag ging voorbij zonder haar. Het werd donker, hij deed de lampen aan. Zeven uur. Nu werd de kans dat ze kwam weer kleiner. Maar die kans bleef bestaan.

Het was nu toch echt aan haar om een stap te doen. *Zij* had het uitgemaakt na de Zomer, daar kwam het op neer. *Zij* was met een ander meegegaan na het feest. En ondanks alles had *hij* zijn open armen getoond. Schaamde ze zich zo dat ze die niet had durven zien? Hij had duidelijker moeten zijn, het had toch Het Tweede Gedicht moeten heten, hij had niet naar Loos moeten luisteren.

Halfnegen.

Een afschuwelijk vermoeden kwam op in Emile. Ze had het gedicht allang gelezen èn begrepen, maar het kon haar niet schelen. Kijk, een gedicht van Emile in de krant, had ze tegen Reiff gezegd, en hij had het ook gelezen. Niet zijn beste gedicht, hadden ze tegen elkaar gezegd. Straks gingen ze samen uit – *zij* gingen naar dat feest.

Dit kòn toch niet? Zij was ontrouw, en hij was zich te buiten gegaan om het goed te maken met een gedicht. Zij, een kantoormeisje van achttien, hij, een bekende dichter. In een veelgelezen krant. Dan kon ze toch op z'n minst iets laten hóren? Sorry lieve Emile, het is een prachtig gedicht. Maar ik ben nu met Reiff. Wie dacht ze dat ze was? Wat stelde ze eigenlijk voor, wat kon ze? Een hondje tekenen. Maar dat hondje was niets, nu zag hij het. Dat had alleen maar iets geleken omdat ze een keer samen gevoetbald hadden.

Misschien vergiste hij zich totaal, en had ze bij de lantarenpaal voor school helemaal niet klaar-gestaan om met hem mee te gaan. Waar bleek dat eigenlijk uit? Ze had hem aardig en enthousiast begroet op het feest, dat zeker, maar was er méér geweest? Haar verplichtingen voor de feestcom-missie hadden haar daarna urenlang in beslag ge-nomen – als het haar om hèm was gegaan, had ze dan echt niet eerder naar hem toe kunnen komen? En dan was er dat moment bij het weggaan in de vestibule, toen ze tegelijk hun jassen hadden ge-pakt. Misschien had hij daarbij een beweging gemaakt die haar had kunnen doen denken dat hij haar wilde kussen, een beweging die hij had afgebroken toen hij dacht dat zij dat niet wilde. Was het niet mogelijk dat ze bij de lantarenpaal op *Reiff* had gewacht? Hoe anders was dat krankzinnige meegrissen te verklaren? Er moest daarvóór al iets zijn gebeurd. Hij had haar uren niet gezien op het feest, maar Reiff ook niet. Waren ze toen ergens bij elkaar geweest, hadden ze toen al iets afgesproken?

De telefoon ging. Het was alsof er ineens een tijger in de kamer stond. Hij greep naar de hoorn, maar brak die beweging af. Ze moest niet denken dat hij als een bedelaar zat te wachten op het geringste geluidje van haar. Hij pakte zijn fototoestel. Hij zou een foto van de telefoon maken bij de derde rinkel. Dan nam hij op.

Maar er kwam geen tweede rinkel. Hij nam toch nog op, maar er was geen verbinding meer.

Hij keek op de klok: halftien. Er werd niet opnieuw gebeld.

Misschien was het Marte helemaal niet geweest. Hoe kwam hij daar eigenlijk bij? Ze was niet het enige meisje op de wereld. Niet eens in zijn leven. Graag of niet – er was bijvoorbeeld ook nog, om maar iemand te noemen, een leuke Annette. Misschien had zij gebeld. Hij was haar niet zo lang geleden tegengekomen en met haar naar bed gegaan, maar daarna had hij niets meer laten horen. Misschien had ze na één rinkel niet meer gedurfd.

Eigenlijk kon je zo laat op een zaterdagavond niet meer een meisje bellen dat je nauwelijks kende, maar hij draaide toch Annettes nummer. Ze had niet gebeld, maar ze vond het wel leuk om nog wat in een café af te spreken.

7 *Een meisje uit iemands jeugd*

Iedere 1 januari dacht Emile: vandaag is Marte jarig.

In het jaar dat begonnen was met haar drieënvijftigste verjaardag, zag hij op een dag haar foto in de krant. Op de voorpagina. Ze keek hem recht aan. Wijs, spottend, op de rand van een lach. Zoals ze was.

Je zag niet haar hele gezicht maar een strook ervan, alsof ze achter een lattenscherm stond waarin een brede lat ontbrak. Ogen, wenkbrauwtjes, wipneus, wangen, bovenlip – iets meer dan door een blinddoek verborgen zou zijn. Haar hoofd was licht van hem afgewend; haar pupillen stonden in haar ooghoeken, twee halve manen oogwit overlatend.

Hij had haar nooit meer gezien, maar hij twijfelde niet – zij was het. De Marte van het feest.

Hij had die krant nietsvermoedend van de deurmat opgeraapt, en nu stond hij er al eeuwen mee in zijn hand. Ten slotte zag hij dat het niet zomaar een foto van Marte was, maar het bericht waarop hij had gewacht. Dat strookje met haar gezicht stond op de voorkant van een boek, en dit was een aankondiging van dat boek: Een Meisje uit mijn Jeugd, de nieuwe Reiff. Over een week zou het verschijnen.

Een half leven had hij tevergeefs in Reiffs boeken naar bijrolletjes van Marte gezocht, nu had ze de hoofdrol.

Een Meisje uit mijn Jeugd – *Reiffs* jeugd. Een krankzinnige titel, haast onbegrijpelijk. Honend. Ze was toen dus echt met hem meegegaan. Het viel niet te ontkennen: zo werd je een meisje uit iemands jeugd.

Hij keek naar haar – en zij keek terug. Maar na een tijd drong tot Emile door dat ze niet naar hem keek, maar naar Reiff. Die moest die foto hebben gemaakt. Hij zag iets uit hun gezamenlijke leven, één moment van al het onbekende dat was gebeurd nadat ze zich bij de lantarenpaal voor school door hem had laten meegrissen. Reiff had gezegd: zal ik een foto van je maken? En zij: ja, goed.

Wanneer zou dat zijn geweest?

Haar zelfmoord kwam voor in dit boek, dat kon niet anders. Waarschijnlijk gìng het daarover. Dan nam je voor het omslag een foto die zo kort mogelijk daarvoor was gemaakt. Als het even kon: op de dag zelf.

Het was zelfs andersom: je zette haar op het omslag *omdat* je zo'n foto had.

Dit was Marte, op de dag van haar zelfmoord.

En nu hij dat wist, zag Emile in haar blik ook vastberadenheid – en angst.

En nu: krant aan de kant en aan het werk?

Het was halfzeven. Om op schema te blijven moest hij nog twee bladzijden vertalen. Als hij wat zinnen oversloeg redde hij dat nog wel voor acht uur. Dan maakte hij wat te eten, at, en kon hij om halfnegen de film zien die hij in de gids had uitgezocht.

Hij keek naar Marte. Hij probeerde te twijfelen of ze het wel was. Er waren genoeg andere meisjes geweest in Reiffs jeugd. Maar als hij even niet keek en dan weer wel, dan was die twijfel weg.

Zou ze nog aan hem hebben gedacht, die laatste dag? Dat moest haast wel. Misschien dacht ze op die foto aan hem. Dan zag ze Reiff, maar keek ze naar hèm.

Daarna had ze het gedaan. Waarom, wanneer, hoe – dat wist hij niet. Hij was het zich gaan voorstellen als een *willen*, waar geen touw, pillen, dak of trein aan te pas was gekomen, geen pijn en geen bloed. Marte had in haar kamer op een stoel aan haar tafel gezeten, had haar wijze en spottende glimlachje gelachen, had dood gewild, en was daardoor dood geweest.

Pas meer dan twee jaar na het weggrissen had hij het gehoord, in een vieze herberg in een Joegoslavisch dorpje. Terwijl hij daar met een vriendin zat die hij al niet meer kon verdragen en met wie hij het uit zou maken zodra ze thuis waren, had hij aan een ander tafeltje Nederlands horen praten en hadden een jongen aan dat tafeltje en hij elkaar vaag en ineens helemaal herkend – het was de pianist van het feest. Die had het verteld.

'Is er iets?' had de vriendin gevraagd toen Emile bij hun tafeltje terug was.

Erg veel meer dan dat het al een hele tijd geleden was gebeurd, had die jongen niet geweten, en in Amsterdam had Emile niet geprobeerd meer te ontdekken. Hij was het vaak van plan geweest, maar hij was er nooit toe gekomen. Soms dacht hij: als ze wil dat ik het weet, dan komt ze het me zelf maar vertellen. Waarom die moeite voor haar doen? Had ze maar niet met een ander mee moeten gaan.

De enige die hij regelmatig tegenkwam en die zeker iets wist, was Reiff. Maar hem kon hij niets vragen. Tegenover hem een bedelaar te zijn die dingen wilde weten over Marte, dat was ondenkbaar. En Reiff zei zelf ook niets. Al vijfendertig jaar was dat waaruit hun vriendschap bestond: zwijgen over het enige waarover ze konden praten.

Nu wist hij waarom Reiff nooit iets had gezegd: Marte had het gedaan terwijl hun verhouding nog bezig was, de foto bewees het. Hij voelde zich schuldig. Maar Emile was schuldiger: als hij haar niet had laten meegrissen bij de lantarenpaal, dan was het niet gebeurd.

Hij zag Reiff voor zich, een paar maanden geleden op dat avondje bij Henk Duijndam. Geen wonder dat hij toen de titel van zijn nieuwe boek niet had willen noemen. Het moest een soort portret van haar zijn. Met wie zou hij zijn gaan praten? Niet met hèm, dat sprak vanzelf. Met wie dan wel?

Met niemand natuurlijk – het zou weer een echt Reiff-boek zijn, hij had het alleen maar geschreven om te laten zien hoe interessant hij was, met dat meisje uit zijn jeugd dat zelfmoord had gepleegd.

Maar het kon niet anders of Emile werd wèl genoemd. Reiff kende Marte door dat feest op het Amstel en als dat ter sprake kwam zou Emile op z'n minst weer worden opgevoerd als die klasgenoot die óók iets was geworden in de Nederlandse literatuur. Ze hadden het over hem gehad. Wat zou daarvan in dat boek terechtgekomen zijn?

Dat boek was een ramp – het begon tot Emile door te dringen. Als Marte aan Reiff had verteld dat Pasgeboren Girafje over haar ging, dan zou het hele land hem bij de lantarenpaal voor school zien staan, als de dichter die zich de bezielster van zijn beste gedicht liet afpakken.

Emile scheurde de pagina voorzichtig af, vouwde hem zo dat Marte hem bleef aankijken, en legde hem op het stapeltje knipsels op de eettafel. Hij ging aan zijn bureau zitten, zette de computer aan, sloeg het boek open waaraan hij bezig was en liet zijn vertaling op het scherm verschijnen.

Maar hij begreep het Nederlands niet eens.

Hij stond op, pakte de pagina en keek naar haar.

Het was nog veel erger. Wat er ook in dat boek stond, Marte werd nu als meisje uit Reiffs jeugd een personage in de Nederlandse literatuur. Terwijl ze dat allang was als meisje uit *zijn* jeugd, door Pasgeboren Girafje. Maar dat wist niemand.

Toch – of Emile nu genoemd werd of niet; kranten, bladen, televisieprogramma's zouden op zoek gaan naar dat meisje uit Reiffs jeugd. Ze zouden ook bij hèm terechtkomen – en als Reiff dat niet al had gedaan, dan kon *hij* onthullen dat Pasgeboren Girafje en Reiffs nieuwe boek over hetzelfde meisje gingen. Dat zou een kleine sensatie zijn; de belangstelling voor zijn werk zou enorm toenemen. Hij zag zich al op de cover van een tijdschrift, weemoedig glimlachend, de oude schoolkrant in zijn hand, opengeslagen bij het gedicht, en met als kop: 'Een meisje uit *wiens* jeugd?'

Aan wie zou hij dat verhaal gunnen?

Aan niemand – het kon niet. Als Reiff met een Marte kwam wier neukzweet voor iedereen te ruiken was, wat moest hij dan nog met *zijn* Marte, een kind dat nat werd in een rag van uitgeblazen druppeltjes? Hij zou zich belachelijk maken, een opdringer zijn die een graantje wilde meepikken van de nieuwe bestseller. Pasgeboren Girafje zou geen mooi gedicht meer zijn, maar een schandaalstukje.

Met zijn boek pakte Reiff haar opnieuw af. En nu voorgoed.

Hoe was het hem gelukt om die vijfendertig jaar voorbij te laten gaan? Alleen maar omdat tijd nu eenmaal goed was in verstrijken? Het was alsof zijn leven een ketting was, en die vijfendertig jaar een schakeltje dat net zo goed gemist kon worden.

Soms als hij aan haar dacht, dan maakte hij zich wijs dat hij kon denken: ach ja, Marte. Een meisje van lang geleden. Daar heb ik nog eens een hele zomer mee door de stad gelopen. Dat was wel raar, dat sloeg eigenlijk nergens op. Ik was eenentwintig, zij veertien. Later ben ik op een feest nog eens tot op een halfuur gekomen van neuken met haar, maar dat ging toen niet door. Ze heeft zelfmoord gepleegd toen ze nog jong was, dat is natuurlijk wel iets verschrikkelijks. Meisjes die op hun veertiende bij de Westertoren zwart-op-wit van hun hand likken, zouden daarvoor gespaard moeten blijven. Van de drie personen die ik heb gekend die dat hebben gedaan, kende ik haar het best. Maar ze heeft het gedaan zonder mij iets te laten weten. Dat vond ze niet nodig. Ze heeft met haar zelfmoord gezegd: jij speelt geen rol, Emile. Ik doe dit buiten jou om. Je hoort het wel ergens in Joegoslavië of zo. Ze was bijzonder, dat zal ik niet ontkennen. Maar trouw was ze niet.

Maar als hij zo dacht, dan was er vroeg of laat een Noorse droom, zoals hij ze was gaan noemen naar de eerste die hij had gehad, lang geleden in Noorwegen. Een droom zonder gebeurtenissen, maar ontilbaar zwaar van gemis en verlangen, om hem eraan te herinneren dat dat niet zomaar ging, 'ach ja, Marte' denken over Marte Jacobs. Of hij zag het overlijdensbericht in de krant van de advocaat Niek

Hoefs, dat hem in een afgrond gooide, en weken-
lang hield, waar niets anders was dan de afwezig-
heid van Marte. Of hij zag een reiger neerstrijken,
en hoorde haar weer zeggen, toen *zij* een reiger
hadden zien neerstrijken, dat jonge reigers heel
even opgelucht en trots kijken dat de landing gelukt
is, en oudere niet meer. Heel vaak, als hij ergens in
de stad was waar hij niet iedere dag kwam, dan
kreeg hij het gevoel dat hij daar al eens eerder was
geweest, en hoe vager dat gevoel, hoe preciezer hij
het wist: daar had hij met Marte gelopen, op de
kronkeltocht. Of hij kwam langs een tramhalte die
eind- en beginpunt in die tocht was geweest, en hij
dacht: ieder afscheid was toch ook een weerzien?

En altijd was er het gedicht.

Bijna duizend gedichten had hij gepubliceerd,
maar het was alsof alleen dat ene telde – zijn allereerste, van toen hij achttien was. Het stond in bloemlezingen, scheurkalenders, schoolboeken, op een
t-shirt, een kussensloop. Als 'Emile Binenbaum' het
antwoord was in een quiz op de televisie, dan was dat
nooit op de vraag wie de grootste dichter van Nederland was, maar altijd op de vraag wie Pasgeboren
Girafje had geschreven.

Hij kon niet worden aangereden of hij werd wakker in een ziekenhuis met aan zijn voeteneind een
zuster die naar zijn naambordje keek en die, nog
voor ze hem verteld had waar hij was of wat hij gebroken had, vroeg: 'Binenbaum? *De* Binenbaum?
Emile Binenbaum, van Pasgeboren Girafje? Dat
heb ik op school gehad. Zó leuk.'

Op scholen, als hij zich liet vertonen als 'de dichter Emile Binenbaum', las hij het altijd voor. Hij had dat wel eens *niet* willen doen, om zijn andere gedichten meer te laten zijn dan bijnummers, maar hij deed het altijd toch, om geen bedrieger te zijn, iemand die als moppentapper was ingehuurd en die een preek ging houden.

Maar hij las het ook voor om succes te hebben, het blije gegons te horen dat door de rijen ging als hij zei: 'En dan nu een gedicht dat ik heb geschreven toen ik maar iets ouder was dan jullie', juist omdat er dan iets kwam dat ze al kenden, iets beroemds, zoals er vreugde in een zaal opklinkt wanneer een muzikant zijn succesnummer inzet. Het aanhoren van zijn andere gedichten was de prijs die die kinderen daarvoor moesten betalen.

Soms vroeg hij zich af wat er in die glundere gezichten zou gebeuren als hij zei dat het girafje zelfmoord had gepleegd.

Hij kon het voorlezen terwijl hij dacht aan de boodschappen die hij nog moest doen, maar soms sprong Marte onverwachts uit de regels zijn ziel in, en was het moment er weer waarop hij had gedacht: 'Net een pasgeboren girafje', of zette het regenwolkje van de savanne hem op het bankje waar ze hun druppeltjes hadden uitgeblazen.

Toen er een keer in Artis een giraffe was geboren, had men een speciale uitgave van het gedicht gemaakt, op een los vel handgeschept en met giraffen gewatermerkt papier, met een foto van het girafje erbij. Een middag lang had hij aan een tafeltje tegenover het giraffenverblijf gezeten, om dat vel te signeren. Bij de uitnodiging daarvoor, het corrigeren van de drukproef, de stapel papier die op dat tafeltje op hem lag te wachten, had hij niet speciaal aan Marte gedacht, en hij was er dan ook niet op voorbereid dat dat stuntelige, prachtige beestje Marte zou *zijn*, negen jaar oud, in de duinpan, staand op één been in het mulle zand, het rechter, om met haar linkervoet de bal aan te nemen. Hij was bijna te laat geweest om de snik te onderdrukken die in hem omhoogschoot omdat girafjes geen zelfmoord plegen, en Marte dat wel had gedaan, en er daardoor nu niet meer was.

Over zijn andere gedichten werd hij eenmaal per jaar aangesproken door een ernstige dame van zesenvijftig met een knotje, die poëzie als iets goddelijks zag en hem als een priester die daar door een wonder deel aan had – of door een meisje in een verschoten regenjas dat ook zo'n dame zou worden, als ze niet eerder zelfmoord pleegde.

Soms brak het koude zweet hem uit: misschien was hij domweg vergeten te bedenken dat hij maar één leven had, en had hij er verkeerd aan gedaan dat te besteden aan het zijn van 'Emile Binenbaum, de dichter'. 'Emile Binenbaum, de jonggestorven dichter', dat zou beter zijn geweest. Hij had een jonggestorven muze, maar dat wist niemand.

En toch: als hij terugkeek op Dertiendrie, dan was hij de enige echte dichter in dat gezelschap geweest. Wermeskerken was Wermeskerken, maar zelfs hij was toen eigenlijk iets anders: hoogleraar amerikanistiek. Van twee van de anderen had Emile na die avond nooit meer iets vernomen; twee hadden nog een paar bundels gepubliceerd en daarna voorgoed gezwegen. Een spichtig meisje was nu een bekende vertaalster van wetenschappelijke literatuur, een ander meisje een vooraanstaande recensente, er waren twee redelijk succesvolle romanschrijvers bij geweest, een softpornomiljonair, een televisiepresentator, een roddeljournalist. Vier van de optredenden en ook Falstaff waren al dood. De enige van het dertiental die in de laatste twintig jaar ook maar één gedicht had gepubliceerd was hij, Emile Binenbaum.

Hij was de laatste die het fort bemande.

En nu had de buurtvereniging hem, als buurtgenoot en dichter, gevraagd om voor de speeltuin, die geheel gerenoveerd werd, een leuk gedicht te schrijven en dat bij de heropening te komen voorlezen. Betalen ging niet, het was allemaal vrijwilligerswerk.

'Mag het ook een vervelend gedicht zijn?' had hij meteen willen antwoorden. 'Ik schrijf geen leuke gedichten, ik schrijf ware gedichten. Waar is soms leuk. Dat hangt af van de lezer. U overschat mij. Een gedicht schrijven waarvan van tevoren vaststaat dat het leuk gevonden zal worden, al is het maar door één lezer, kan ik niet.'

Hij had dat briefje niet geschreven, en ook geen briefje waarin hij vroeg of de glijbaanfabrikant soms óók een vrijwilliger was. Humor was te veel eer. Hij had ook niet meteen een kort nee gestuurd, dat zou zijn gekwetstheid laten zien, en een blik in zijn ziel gunde hij de buurtvereniging niet. Maar helemaal niet antwoorden kon ook niet. Eigenlijk was de enige manier om ervan af te komen, dat gedicht *schrijven*. Maar dan zou zijn anonimiteit opgeheven zijn, en zou hij voortaan op straat in de blikken van de speeltuinmoeders zien: kijk, daar gaat de dichter.

En toch. Hij wàs dichter. Hij hoorde het zich nog zeggen, bij dat etentje bij Duijndam, met Reiff als getuige: het dichterschap is geen beroep en ook geen roeping, het is iets waar je je bij neerlegt. Dan *moest* hij er zich misschien bij neerleggen. Hij had niet kunnen verhinderen dat hem al een paar ideeën voor een speeltuingedicht te binnen waren geschoten. Hij was er zelfs gaan kijken – net toen er een paar mannen bezig waren met het plaatsen van een nieuw wipbeestje, een olifant. En ineens had hij het begrepen. Voor de buurtvereniging was hij geen dichter, zelfs geen leuke dichter, maar een leuke dierendichter. Emile Binenbaum, van het bekende leuke gedicht over dat girafje, zou voor de buurtspeeltuin wel even een leuk gedicht schrijven over een wipolifant.

Nu had hij toch echt een weigering willen sturen. Maar toen hij van die wandeling thuiskwam, had hij de krant met Martes foto gevonden.

Het was alsof hij weer zestien was, en achter in de auto van zijn ouders zat, onderweg naar Schoorl – nu wetend dat hij Marte daar zou zien. Hij rilde van de zenuwen.

Hij had besloten, zoals altijd met de boeken van Reiff, om het in een verre winkel te gaan kopen; in het krantenwinkeltje in de buurt, of de grote boekhandels in het centrum waar men hem kende, wilde hij er niet mee gezien worden.

Hij liep. De zon scheen, het was een wonderlijk zachte herfstdag, er waren mensen op straat zonder jas. Het was een flink eind, maar daarom had hij die winkel juist gekozen.

Marte kwam naast hem lopen.

'Wat ga je doen?' vroeg ze. 'Volgens mij iets engs. Je bent zenuwachtig.'

'Je hebt me door. Iets heel erg engs.'

'Wat dan? Je moet het vertellen.'

'Raad maar.'

'Iets wat met mij te maken heeft?'

'Alles heeft met jou te maken.'

'Niet overdrijven. Soms denk je weken niet aan me.'

'Dagen.'

Ze lachte vrolijk. 'Maar dit heeft wel met mij te maken.'

'Heel veel.'

Ze zette haar wijsvinger tegen haar wang en trok een gezicht alsof ze hard nadacht, met grote ogen.

'Ga je naar mijn graf?'

'Nee.'

'Dat zou ook niet kunnen, want je weet niet waar dat is. Ik geloof trouwens dat ik gecremeerd ben. Ga je naar de treinen? Waar ik je toen getekend heb?'

'Dat is niet eng.'

'Dat is waar.'

'Daar wilde ik trouwens laatst gaan kijken. Daar zijn geen treinen meer, daar hebben ze een hele nieuwe wijk gebouwd.'

'Echt? Jammer. Het was leuk met die treinen. En het rook er zo lekker. Maar wat ga je dan doen? Je moet me een hint geven.' Ze was vrolijk, ze hield van zulke spelletjes, ze huppelde bijna.

Maar terwijl Emile nadacht over een hint die niet te moeilijk zou zijn, maar ook niet te makkelijk, kwamen ze langs een bushokje dat het hele spel bedierf, want daar hing een grote poster van het boek. Met haar foto.

Ze bleef staan; haar mond viel open. Emile bleef ook staan.

Haar vrolijkheid was op slag verdwenen. 'Heeft hij een boek over me geschreven?' zei ze.

'Ja.'

'Een Meisje uit mijn Jeugd? Uit *zijn* jeugd? Tsss. Ik ben een meisje uit jouw jeugd. Toch?'

'Natuurlijk ben je dat.'

'Hoe durft hij.'

'Je bent toen wèl met hem meegegaan. Zo word je een meisje uit iemands jeugd.'

Ze haalde bozig haar schouders op. 'Hij heeft me geneukt ja.'

'Ja?'

'En wat dan nog. Dat is toch niets tegenover wat wij hadden? Het voetballen, de gang Grieks-Duits, onze Zomer? Ik begrijp het al, je gaat dat boek kopen. Dat moest ik raden, hè?'

'Ja.'

'Waarom ga je zoiets lezen?'

'Ik wil weten hoe het met hem was.'

'Wat kan dat je schelen? Dat doet er niet toe. Hoe het met *jou* was, dat doet ertoe. Pasgeboren Girafje doet ertoe. Meer hoefde er niet over mij geschreven te worden.'

'Denk je dan dat dat over jou gaat?'

'Niet plagen. Natuurlijk gaat dat over mij.'

'Dat heb ik je nooit verteld.'

'Kom nou Emile. Dat heb je me verteld bij Dertiendrie. Maar ik voelde het meteen al, toen het in de schoolkrant stond. Maar toen dacht ik, dat kan niet. Ah, dat is zo'n mooi gedicht. Dat maakt het de moeite waard dat ik heb geleefd.' Ze keek weer naar de poster, ze schudde haar hoofd misprijzend. 'Ga dat toch niet lezen.'

'Ik doe het toch.'

'Nou, véél plezier.'

Ze wilde al weglopen, maar Emile zei: 'Ik wil je nog iets vragen. Die foto…' Hij zag dat haar blik hard werd, dat ze daar niet over wilde praten.

'Die had hij niet mogen gebruiken,' zei ze. 'Daar had hij toestemming voor moeten vragen.'

'Maar jij leeft niet meer.'

'Dan had hij toestemming aan jou moeten vragen.'

Emile knikte. 'Maar wat ik wilde weten,' zei hij. 'Is die foto gemaakt op de dag…' Maar hij voelde dat hij te ver ging, haar blik sloot zich, ze stond niet meer naast hem, ze was weg.

Hij liep verder. Hij zag nog een paar posters, er kwam een tram langs met het strookje van haar gezicht op de zijkant.

In de winkel waren een paar klanten, bladerend in blaadjes, zoekend naar een felicitatiekaart, een tubetje lijm – onwetende getuigen van een Literaire Gebeurtenis, die tegelijk een groot moment was in het leven van die andere klant.

Marte keek toe vanaf een grote poster achter de kassa. Daar lagen twee stapels van het boek, al niet meer even hoog. Het was verrassend dun, veel dunner dan Reiffs andere boeken, en even voelde Emile zich teleurgesteld dat hij Marte niet óók vijfhonderd bladzijden waard had gevonden.

Hij pakte een exemplaar, stond ermee in zijn hand.

Hoe las je een dergelijk boek? Begon je bij het eerste woord, en las je dan regel voor regel, bladzijde voor bladzijde? Of bladerde je er woest doorheen, al in de winkel, bladzijden kreukend en scheurend, zoekend naar haar laatste dag, het weggrissen, je eigen naam? Hij wilde dat hij het hele boek met één handeling tot zich kon nemen, als een ruimtevaarder die een maaltijdpil inslikt.

Hij sloeg het boek niet open.

Hij betaalde, en beantwoordde de vraag of het voor hemzelf was. Er werd een papieren zakje om het boek gedaan dat met een stukje plakband werd dichtgeplakt, en hij kreeg het in een plastic tasje mee.

Zijn beheersing was bovenmenselijk. Hij ging

weer naar buiten, begon aan de wandeling terug naar huis, niet sneller lopend dan op de heenweg, zich bewust van het kleine gewicht aan de plastic hengsels in zijn rechterhand, dat er niet zou zijn geweest als hij niet op een mooie zomerdag in plaats van met belangrijke mensen te praten, was gaan voetballen. Bij oversteekplaatsen wachtte hij tot het licht groen was, al was hij de laatste die daar stond, al was er geen auto te bekennen. Marte liet zich niet meer zien. Maar toen hij in zijn eigen straat was en voor zijn deur stond, was ze er ineens weer.

'Sterkte,' zei ze.

Ze wenste hèm sterkte! Terwijl al háár intimiteiten hier aan het hele volk getoond gingen worden!

Hij ging naar binnen, trok zijn jas uit, mouw voor mouw, hing die aan een knaapje, het knaapje aan de kapstok. Hij haalde het boek uit het plastic tasje, het papieren zakje ervan af, legde het op tafel, keek ernaar.

Het was alsof Marte voor het eerst bij hem thuis was.

Hij ging naar de keuken en zette koffie. Terwijl het apparaat pruttelde, maakte hij een prop van het plastic tasje en gooide die in de prullenmand. Maar even later keek een oog hem over de rand daarvan aan – Martes oog. Hij haalde het tasje er weer uit en ontpropte het – het was een speciaal tasje, met het omslag van het boek. Hij streek het glad, vouwde het op en legde het bij de krantenpagina's met Martes foto van de laatste week.

Hij keek in de spiegel. Dit is de dichter Emile Binenbaum, die alles te weten gaat komen, dacht hij.

Hij schonk zich een kop koffie in en zette die op een schoteltje, wat hij in jaren niet had gedaan. Hij droeg de koffie naar binnen en ging zitten.

Hij haalde diep adem, en sloeg het boek open.

Hij had M* vijfendertig jaar geleden ontmoet op een reünie van zijn oude school, een paar maanden voor ze zich, achttien jaar oud, aan de ceintuur van haar badjas ophing – het zou verachtelijk effect-bejag zijn om dat later dan op de eerste bladzijde te vermelden. Ze was op een middag bij hem geko-men; ze hadden de liefde bedreven – daarna had ze het uitgemaakt en was ze weggegaan; een paar uur later had ze het gedaan. Een vrouw te hebben om-helsd op de dag van haar dood, terwijl zij misschien al van die dood wist, was een onuitstaanbaar raadsel dat hem nooit had losgelaten. Nu hij de zestig voor-bij was, en de kans steeds groter werd dat zijn eigen dood hem zou verhinderen over dat raadsel te schrij-ven, was het tijd om dat te doen.

Ze had echt bestaan, hij had haar gevoeld en ge-roken, maar dat nam niet weg dat de werkelijkheid er voor de schrijver was om te plunderen – hij had dat woord vaker gebruikt, maar juist nu wilde hij het niet verzachten. Hij was geen knecht van de werkelijkheid, maar de baas van het verhaal. Hij was niet op zoek gegaan naar mensen die haar hadden gekend; hij zou zulke mensen uit de weg zijn ge-gaan. Het ging hem om *zijn* M*.

Hij was naar die reünie gegaan in de hoop een

meisje te veroveren dat hij vroeger niet had kunnen krijgen – zij was er, maar hij had haar weer niet kunnen krijgen. Toen het feest was afgelopen en hij naar huis wilde gaan had hij op straat, te midden van een groepje feestgangers die daar nog stonden te praten, M* gezien. Hij herinnerde zich haar op het feest al één of twee keer te hebben opgemerkt; een meisje van de organisatie met een soort verleidelijk-maagdelijke glans, maar hij was haar weer vergeten, omdat hij dat andere meisje wilde.

Op straat, nu dat andere meisje er niet meer was, zag hij M* als voor het eerst. Ze was geen grote schoonheid, maar de tranceachtige, ondoorgronde-lijke blik waarmee ze voor zich uit staarde had alles weggevaagd en alleen de wens overgelaten om met haar naar bed te gaan en te weten wat die blik bete-kende. Op hetzelfde moment had hij ook de ver-leidingsmethode gezien: een uitzinnige bluf, ook tegenover hemzelf, dat ze hier alleen maar in het verleden waren, van een heden waarin ze met elkaar sliepen.

Hij was naar haar toe gegaan, had gezegd dat ze mee moest gaan, en ze was meegegaan. Wie in het verleden is heeft nu eenmaal geen keus: die moet mee naar het heden.

Ze waren naar een taxistandplaats gelopen en hadden een taxi naar zijn huis genomen. Er was daarbij niet gepraat, er was geen aanraking geweest. Ze keek voor zich uit als een emigrant die op weg is naar een nieuw land. Voor zijn huis, toen de taxi weg was, was er een hapering in haar geweest. Ze ziet het exces, dacht hij. Ze leek op het punt om te zeggen dat ze toch maar niet meeging. Dat had maar even geduurd – toen had ze een hoofdbeweging naar zijn deur gemaakt.

De eerste aanraking vond plaats in bed.

Ze was inderdaad maagd, merkte hij. Maar ondanks dat: meester van de situatie. Ze neukte gretig, onhandig, grimmig, haast boos, en tegelijk kreeg hij het gevoel dat het haar niet raakte. *Afstandelijke overgave* – die woorden kwamen bij hem op terwijl hij haar in zijn armen had. 's Ochtends ging het verder. En daarna wilde ze weg. Ze wilde niet douchen, geen koffie. Voor negen uur was ze de deur uit. Raar meisje, dacht hij. Hij verwachtte niet haar nog te zien.

Toen hij een paar maanden later hoorde dat ze zelfmoord had gepleegd, wist hij dat die nacht haar eerste stap was geweest. Hij had haar niet grandioos overdonderd – het was een daad van háár. Ze had in hem het instrument gezien; haar aarzeling voor zijn deur was de aarzeling geweest van de zelfmoordenaar die denkt: ik kan het ook *niet* doen.

Een paar dagen na de eerste keer belde ze. Om elf uur 's avonds, wat hem minder verbaasde dan dat ze überhaupt belde. Ze wilde komen, nu. Ditmaal bleef ze 's ochtends lang genoeg om te kunnen vragen of ze elkaar nog eens zouden zien. Dat was goed, maar zij zou bellen. Had ze dan misschien zin om ergens te gaan eten? Dat niet – 'deze verhouding gaat zich geheel hier afspelen', zei ze met een branie die bijna lompheid was. Toen ze weg was, bedacht hij dat ze in één adem had gezegd dat ze een verhouding zouden hebben en dat ze er geen zouden hebben.

Hun verhouding had zich inderdaad vrijwel geheel op zijn kamer afgespeeld, en daar vrijwel geheel in bed. Ze had haar eigen kamer, maar ze wilde niet dat hij daar kwam. Die kamer was in een buurt, maar leek geen adres te hebben. Ze wilde ook niet naar het café, naar de film, even samen buiten een frisse neus halen. Ze wilde alleen maar neuken. Het enige wat ze buiten de deur hadden gedaan was een lang weekend in Parijs, met zijn eerste auto, twee weken voor haar dood.

Ze zat niet op het Amstel, zoals hij even had gedacht door haar aanwezigheid op dat feest, maar ze had een baan; ze tikte brieven op het kantoor van een verzekeringsmaatschappij, dicht bij zijn huis. Soms kwam ze in de lunchpauze langs. In de weekends bleven ze van zaterdagmiddag tot maandagochtend in bed. Neukmarathons, waarbij ze tussendoor aten, de krant lazen, televisie keken, praatten en dan weer neukten tot hij zich niet meer kon voorstellen dat er buiten haar lichaam nog iets was.

Hij was niet verliefd op haar, en zij niet op hem. De vraag stellen was jezelf erom uitlachen. Als neuken niet meer bestond zouden ze elkaar niet meer zien, maar zolang het nog wel bestond moesten ze van tijd tot tijd hun lichamen bij elkaar brengen, als ouders die hun kinderen met elkaar willen laten spelen.

En zoals dat soms ook tussen zulke ouders gaat,

was er een zekere genegenheid ontstaan. Hij mocht haar wel – zij hem misschien ook. Er kwamen zelfs aanrakingen buiten bed; als ze kwam of wegging omhelsden ze elkaar even en kuste hij haar, een lichte kus die zij beantwoordde. Als hij in het weekend kookte, en haar achter zich wist, de krant lezend op de bank, dan was het *gezellig*.

Maar het meest intieme, het enige werkelijk zinnelijke moment van hun hele verhouding, had zich voorgedaan op een terrasje in Parijs. Bij iets wat ze hem vertelde had ze even haar hand op zijn knie gelegd, en er was een huivering door hem heen gegaan die hem een erectie bezorgde die hij had proberen te verbergen.

Hij! Een erectie verbergen voor haar!

Ze was de gedroomde minnares. Hij werd aan huis bediend. Haar onhandigheid verdween; haar gretigheid bleef. Hij hoefde niet tijdens dure etentjes over zijn gevoelens te vertellen, hij hoefde ze niet te hèbben. Hij hoefde geen mooie boswandelingen te maken door saaie bossen, geen houten kont te krijgen bij balletvoorstellingen, niet mee naar haar ouders, hij hoefde alleen maar met haar naar bed.

Wat het voor haar was, dat bleef een raadsel. Een meisje dat haar liefdesleven zo begon, was daar niet iets mee mis? Ze was pas achttien! Nog maagd geweest. Hoe moest hij haar zien – als een kind dat hij tegen een verslaving moest beschermen, van wie hij moest ontdekken welke zieligheid achter haar vreemde gedrag schuilging, of als een volwassene

die het zelf moest weten en van wie hij kon profiteren?

Maar als hij zou zeggen: vandaag gaan we eens
niet neuken, maar praten over hoe je nou eigenlijk
bent, dan ging ze weg. De keus was niet tussen beschermen en profiteren, maar tussen stoppen met
profiteren en doorgaan met profiteren.

De tragiek van iemand die zelfmoord pleegt, hoe
boeiend ze ook is, is dat ze daarna alleen nog maar
boeiend is omdat ze zelfmoord heeft gepleegd. Ze
heeft als kind geen lepel pap meer gegeten die er
geen voorbode van was. Maar M* wàs boeiend. Hij
had haar wel eens willen leren kennen. Gesprekken
met haar gingen ergens over, ze wist dingen. Houten bootjes overleefden de winter het best als je ze
liet zinken. Alle mieren wogen samen evenveel als
alle mensen. Met drie tussenpersonen had je iedereen een hand gegeven. Hoe meer hij zich M*'s
weetjes probeerde te herinneren, hoe duidelijker hij
haar weer zag, gesticulerend, naakt, intens, serieus,
lachend – en hoe meer hij weer wist hoe tergend afwezig ze was geweest.

'Hé, jij daar! Niet zo ver weg zijn!' had hij haar
willen toeroepen. Het ging nooit over haarzelf.
Over haar ouders kwam hij alleen te weten dat haar
vader kantoorbediende was, 'net als ik'. Pas na weken ontdekte hij dat ze niet alleen met de organisatie van het feest te maken had gehad, maar ook zelf
een paar jaar op het Amstel Lyceum had gezeten,
waarvan één tegelijk met hem. Het was geen onder-
werp dat haar erg boeide; over de paar leraren die ze

allebei hadden gehad, waren ze vlug uitgepraat. Op zijn klassenfoto van dat jaar wees ze hem zonder moeite aan, maar verder wilde ze er nauwelijks naar kijken. Ze vroeg nooit naar *zijn* ouders, zijn vrienden, het blad dat hij bezig was op te zetten, de verhalen die hij schreef. Ze luisterde wel graag naar zijn belevenissen in de wereldsteden waar hij als vliegende enquêteur was geweest.

Van alle vrouwen die hij niet had kunnen krijgen, had hij M* het ergst niet kunnen krijgen. Als je een vrouw tegenkwam die je wilde, dan was het raadsel hoe ze zou zijn in bed; bij M* was het raadsel hoe ze wàs. Bij die andere vrouwen werd dat raadsel soms opgelost, bij haar niet. Ze was totaal lichaam – een titel die hij voor dit boek had overwogen. Hun verhouding bleef zoals die al was geweest op het moment van hun ontmoeting: zij was het raadsel, hij de vergeefse doorgronder.

Soms kon hij zich bijna niet inhouden om het haar midden in haar gezicht te vragen: hoe bèn je nou eigenlijk? En ten slotte deed hij het, al zei hij het anders: 'Waarom ben je toen eigenlijk meegegaan?'

Het raakte haar, hij zag het. Ze moest nadenken. 'Daar had ik zin in,' zei ze ten slotte.

'Dat is geen antwoord.'

'Nee hè?'

'En waarom *blijf* je komen?'

'Traagheid.'

En ze lachte haar branielach, maar de branie was ditmaal onecht en hij wist dat hij dit niet mocht doen – hij vroeg naar wat ze niet wilde laten zien.

Soms dacht hij: ik stop ermee, ik wil met een meisje naar bed, niet alleen maar met een lichaam. Ik maak het uit. Maar dat deed hij niet – hij wist dat hij dat aan haar kon overlaten.

Emile stond op. Hij liep naar het raam en keek naar buiten.

Hij kwam niet voor in het boek. *Hij* was haar onbereikbaarheid geweest. 'Een Meisje uit mijn Jeugd' – die titel was niet honend, maar onwetend.

Hij dacht: wat ga ik eigenlijk doen als ik dit boek uit heb?

Op de vijfentachtigste dag van hun verhouding, vroeg in de middag, komt M* langs. Ze heeft een ananas bij zich – de Ananas des Doods, zal hij later denken, want een paar uur later is ze dood. Ze brengt vaak iets lekkers mee; appelbollen, haringen, chocola, wijn. Als hij haar bedankt, blijkt het de eerste ananas te zijn die ze ooit heeft gekocht. Ze had er ineens zin in.

Natuurlijk is het geen voorbode. Het staat een ieder vrij om voor het eerst een ananas te kopen en later die dag zelfmoord te plegen, zonder dat het iets met elkaar te maken heeft. De zelfmoord zit al in haar, maar dat ze het vandaag zal doen nog niet.

De Ananas des Doods wordt op tafel gezet, ze gaan met elkaar naar bed. Ze praten even, vallen in slaap. Als hij wakker wordt, slaapt zij nog. Hij kijkt naar haar. Alles is zoals het altijd was, en tegelijk van een onduldbare onbegrijpelijkheid. Als ze zo meteen wakker wordt, zal ze voor het laatst geslapen hebben. Hij kijkt naar haar hoofd, vol geheimen. Ze hebben hun langste tijd gehad, die geheimen. Als ze nog iets vergeten wil moet ze vlug zijn.

Ze wordt wakker, ze vrijen, douchen. Om de beurt, zo wil zij het. Als het kon, dan zou ze misschien ook om de beurt willen neuken.

Hij heeft al inkopen gedaan; terwijl zij half aangekleed op de bank zit met de kranten en bladen, maakt hij bij het aanrecht groenten schoon. Dit is een vast, harmonieus moment met haar. Hij wast, snijdt, raspt, en hoort achter zich de ritselingen van de krantenpagina's. Hij kan haar niet krijgen, maar nu is hij gelukkig met haar.

Er is een feest die avond, hij zou er met haar naartoe willen gaan om eindelijk eens te zien hoe ze is met anderen erbij. En om later, als het uit is en hij over haar wil vertellen, de beelden die die anderen van haar bewaard hebben als illustratie te kunnen gebruiken. Maar ze zou toch niet meegaan en hij zegt niets. Als hij wel iets zei, dan zou ze weggaan om hem vrij te laten.

Dan is er een eerste aanwijzing. En het vreemde is: die is er in hem. Hij ziet haar niet eens. Hij ziet de aubergine waar hij mee bezig is, en die door geen conserveringstechniek zó bewaard had kunnen blijven als door wat er nu volgt. Ineens komt het bij hem op om iets te doen wat hij niet eerder heeft gedaan: een foto van haar maken.

Hij loopt langs haar heen om zijn toestel te pakken, stelt achter haar rug op de gok scherp, loopt terug naar het aanrecht, draait zich om, en drukt af, net op het moment dat ze opkijkt.

Terwijl hij het toestel laat zakken, treft hem iets in haar houding, of in haar gezicht. Het is een verandering van niets, die eigenlijk pas tot hem doordringt als hij het toestel al heeft weggezet, en weer bezig is met de aubergine.

Dan zegt ze: 'Willem.'

Dit moment is het eerste waarvan vaststaat dat het bij haar zelfmoord hoort.

Dat *Willem* klinkt streng, alleen al omdat ze zijn naam bijna nooit gebruikt. Als van een schooljuf die even haar houding heeft moeten bepalen, en die nu besloten heeft een kind een standje te geven.

Het was de foto, denkt hij. Ze gaat zeggen dat ik dat eerst had moeten vragen.

Hij draait zich om en ziet haar zoals hij haar niet eerder heeft gezien. Ze is haar wapens kwijt. Er is ontmoediging in haar blik, een soort ongelovige verbaasdheid, maar ook zekerheid. Zijn brein, niet wetend wat te doen, maakt dan maar een grapje: hij ziet voor zich hoe hij het rolletje uit het toestel haalt en aan haar geeft, als een betrapte fotograaf die een privacygebod heeft overtreden.

'Ik ga naar huis,' zegt ze.

Het eerste wat hij voelt is opluchting. De deur die hij niet open kreeg zal er niet meer zijn, de verstikking van de neukmarathons is afgelopen. Het zit erop. Hij kan toch nog naar het feest.

Hij zal haar missen.

'En je komt niet meer terug,' zegt hij.

'Nee.'

'Jammer.'

Ze zegt niet dat ze het ook jammer vindt.

'Wat is er gebeurd?'

'Er wordt me iets duidelijk.'

'Mij niet.'

Ze lacht vaag. Ze is in het gebied waar hij geen toegang heeft. Hij ziet haar denken aan wat de oplossing van het raadsel is. Haar blik is helder, net als voor school, toen ze meeging.

'Ik heb je gebruikt,' zegt ze. 'Sorry. Of eigenlijk: niet sorry.'

'Ik heb jou gebruikt. Ook eigenlijk niet sorry.'

Ze lacht, maar niet als de M* met wie je kunt lachen.

'Er wordt je iets duidelijk, zomaar op een zaterdagmiddag?'

Ze haalt haar schouders op. 'Het was niet voor altijd, dat wisten we. En als je weet dat iets moet ophouden, dan kan je beter zelf een moment kiezen waaròp het ophoudt.'

'Je bent goed in het herformuleren van mijn vragen.'

'Help je me mijn spullen zoeken?'

Ze kleedt zich aan, ze verzamelen haar weinige spulletjes die zich bij hem verzameld hebben, ze ritst haar tas dicht, en een kwartier nadat ze 'Willem' heeft gezegd, is ze weg.

Hij gaat naar het feest, en als hij weer thuis is ziet hij de ananas. Hij snijdt er een plak af en eet die op;

zij hangt dan al aan de ceintuur van haar badjas aan een deurpost. Een kleine week lang, ook nadat hij van haar dood gehoord heeft, eet hij af en toe nog een plak van de ananas. Dan is die op en gooit hij de rest weg.

Emile was naar buiten gegaan.

Hij vroeg zich af of gewone gedachten er nog wel toe deden.

Het was nog mooi weer – de eerste momenten van een mooie dag waarop die nog mooi is maar je al kunt zien dat hij voorbij zal gaan. Hij liep door een brede, beboomde straat waar prachtige herfstbladeren lagen, met roodbruin, oranje, soms nog donkergroen dat langs de nerven in elkaar overging. Achter de gerafelde takken van de bomen was de hemel blauw.

Reiff had een goed boek geschreven. Misschien waren al zijn boeken wel goed.

Er kwam een tram langs, met Martes foto. Wenkbrauwen, ogen, neus, bovenlip. Iedereen kon haar zien, maar niemand wist dat ergens bij de wielen haar handen waren, die een krant vasthielden, opengeslagen bij een pagina met een gedicht van Emile Binenbaum.

Vijfentachtig dagen. Hij had het geweten zodra hij dat getal zag. Hij had het altijd geweten. Maar nu rekende hij het uit. Vijfentachtig. Delen door zeven, twaalf, rest één. Dag één: het feest. Dat was op een vrijdag geweest. Dag vijfentachtig: vrijdag plus één, zaterdag. De Amsterdamse Tribune publiceert Wapperende Benen.

Ze had zijn open armen gezien en naar hem toe willen gaan. Maar ze had niet gedurfd, omdat ze zou moeten vertellen wat er in dat boek stond. Hij hoorde de rinkel. Maar hij had niet opgenomen, en zij had meteen weer neergelegd. Misschien had ze *toen* niet meer gedurfd. Of gedacht dat het niet meer kon. Of dat ze toch gewoon moest komen. Maar hij was niet thuis geweest – hij had met een meisje in een café gezeten.

Reiff had haar nooit afgepakt.

En ineens durfde Emile uit volle borst te weten wat hij al zo lang in het geheim wist: hij was geen groot dichter. Hij had geen talent. Hij had één groot gedicht geschreven, zijn allereerste, over het grootste moment in zijn leven, zijn ontmoeting met Marte. Alsof er toen een tot het uiterste ingedikt besef was geweest van hun bij elkaar horen. Maar hij had een vergissing gemaakt. Hij had gedacht dat de goden hèm hadden aangeraakt, om hem dichter te maken. Maar ze hadden Marte en hem samen aangeraakt, om samen iets te zijn.

Hij was stil blijven staan, merkte hij, hij kreeg het koud. Er was niemand meer zonder jas op straat, de geluiden waren doffer geworden, het werd donker. Hij moest weer bewegen. Maar waarheen? Naar een kledingzaak, een badjas kopen, zeggen dat ze alleen de ceintuur hoefden in te pakken? Naar de lantarenpaal voor de school; de laatste tramhalte van de kronkeltocht; de Westertoren om te kijken of Marte daar nog opgesloten zat? Nergens voor nodig; met hun kronkeltocht hadden ze de hele stad in bezit genomen, hij was altijd wel ergens waar ze samen waren geweest. Hij zag een plattegrond voor zich, met vlaggetjes bij hun Plekken en wollen draden langs de straten waar ze gelopen hadden – het gewone Amsterdam zou verborgen zijn.

Hij begon terug te lopen, naar huis.

Er waren beslissingen in hem genomen, merkte hij. Hij zou nooit onthullen dat Marte het pasgeboren girafje was. *Zij* had het geweten, dat was wel zeker. Dat was genoeg. En hij zou het gedicht voor de speeltuin schrijven. Leuke gedichten schrijven, dat kon hij best. En nu hij toch buiten was; dan was het geen slecht idee om daar nog eens langs te lopen, voor inspiratie. Het was maar een kleine omweg. Die speeltuin moest ook echt in het gedicht voorkomen, met een herkenbare klimpaal, of die wipolifant. Dan was zijn voorlezen voor die kinderen niet alleen maar iets waarvan ze hoopten dat het vlug afgelopen zou zijn, om met de nieuwe dingen te kunnen gaan spelen. Het was alsof hij ze al kon horen lachen. Hij zou nog even blijven, de verguldheid aanhoren van een bestuurslid, dat hij, de bekende dichter Emile Binenbaum, een gedicht had willen schrijven voor hùn speeltuin, en hij zou nog met een paar moeders praten, die vroeger allemaal in de klas Pasgeboren Girafje hadden gehad.

Het was alweer een tijdje geleden dat hij die uitnodiging had gekregen, maar misschien was het nog niet te laat. Er zou wel een telefoonnummer bij staan – thuis zou hij ze bellen, en zijn excuus aanbieden voor zijn late reactie. En dan begon hij er meteen aan. Die vertaling kon wachten; dichten ging voor.

Want dichter, dat was wat hij was. Dat had Marte Jacobs hem gemaakt. Zolang hij gedichten schreef, waren ze samen.